KB101647

저희 아들은 『똑똑한 하루 독해』를 푸는 동안에
정말 **멈출 수 없는 흥미로움과 재미**에 빠져 있었습니다.
'더 하고 싶어. 더 풀고 자면 안 돼?'라는 말을 많이 듣게 해 준 독해서예요.
정말 즐겁게 잘 풀어 준 교재라 저는 더할 나위 없이 좋았네요.
다시 한 번 더 정말 너무너무 감사드리고 『똑똑한 하루 독해』를 빨리 만나 보고 싶어요.

— 『똑똑한 하루 독해』 검토단 이은주(초등학교 3학년 학생 부모님)

#홈스쿨링
#혼자공부하기

똑똑한
하루 독해

Chunjae
Makes
Chunjae

▼

[똑똑한 하루 독해] 3단계 B

편집개발	이문태, 이재인, 김민숙, 김효진, 박지윤
디자인총괄	김희정
표지디자인	윤순미
내지디자인	박희춘, 임용준
제작	황성진, 조규영

발행일	2021년 11월 15일 2판 2024년 10월 1일 5쇄
발행인	(주)천재교육
주소	서울시 금천구 가산로9길 54
신고번호	제2001-000018호
고객센터	1577-0902

※ 이 책은 저작권법에 보호받는 저작물이므로 무단복제, 전송은 법으로 금지되어 있습니다.

※ 정답 분실 시에는 천재교육 교재 홈페이지에서 내려받으세요.

※ KC 마크는 이 제품이 공통안전기준에 적합하였음을 의미합니다.

※ 주의

책 모서리에 다칠 수 있으니 주의하시기 바랍니다.

부주의로 인한 사고의 경우 책임지지 않습니다.

8세 미만의 어린이는 부모님의 관리가 필요합니다.

3단계 B 공부할 내용 한눈에 보기!

똑똑한 하루 독해를 함께 할 친구들을 소개합니다.

반가워!

나리

공부하자!

피오

사람들과 친구가 되어 함께 살아가기로 결정한 괴물들! 괴물보다 무서운 말괄량이 소녀 나리를 만나 함께 독해력을 키우고 다양한 글을 읽으며 인간 세상을 알아 가기로 했어요.

3주

4주

무엇이든 물어봐!

마이크

나만 믿어!

프랑

흡혈귀이지만 겁쟁이인 피오, 헛똑똑이 마이크, 겉모습과 달리 상냥하고 부끄러움 많은 프랑!
괴물 친구들이 나리와 함께 열심히 독해력을 키워 나가는 모습을 지켜봐 주세요.

독해? 독해!

독해가 뭐예요?

똑똑한 독해 질문

하나!

다들 '독해, 독해' 하는데 독해가 뭐예요?

글자를 읽기만 하는 게 아니라
진짜 이해하여 내 지식으로 만드는 것이 독해예요!

똑똑한 독해 질문

둘!

그럼 독해는 국어인가요?

독해는 그냥 국어만이 아니에요. 읽고 이해하는 독해가 안되면 수학 문제도 풀 수 없어요. 이처럼 독해는 모든 과목 공부를 잘하기 위한 기초랍니다. 독해를 통해 모든 과목의 지식을 내 것으로 만드는 방법을 배워야 해요.

똑똑한 독해 질문

셋!

글 읽고 문제만 계속 풀면 독해 공부가 되나요?

무조건 글 읽고 문제만 푼다고 독해 공부가 잘될 리 없지요. 「똑똑한 하루 독해」로 공부해 보세요. 먼저 어휘를 익히고 시나 이야기뿐만 아니라 수학, 사회, 과학, 역사, 예술은 물론 생활 속 글까지 다양하게 읽어 보세요. 그리고 어휘 심화 문제와 게임으로 실력을 다져요. 이해도 쏙쏙 되고 지루할 틈이 없겠지요?

진짜 똑똑한 독해를 시작해 볼까요?

이 책의
특징과 장점

똑똑한 하루 독해로
똑똑해지자!

> 뭐 이렇게 독해책이 많아?

> 모르는구나?
> 요즘 독해가 대세야!

> 독해를 잘해야 국어뿐만
> 아니라 다른 과목 문제를
> 풀 때에도 요점을 잘 짚어
> 이해하고 풀 수 있다고.

> 독해는 어휘가 기본인데,
> 이 책은 어휘가 너무 부족해.

> 이 책은 너무 글만 가득해서
> 어렵고 지루해. 벌써 졸려!

> 이 책은 몽땅 교과서 글만 있잖아.
> 난 다양한 글을 읽고 싶은걸.

똑똑한 하루 독해!
왜 똑똑한 하루 독해일까요?

1 **10분**이면 **하루 독해 끝!** 쉽고 재미있는 독해 공부!

2 **어휘로 준비하고 어휘로 마무리!** 어휘력 쑥! 독해력 쑤욱!

3 **'문학·비문학·실생활' 알짜 지문!** 하루하루 다양하고 즐거운 독해!

4 **독해 최초 생활 속 독해, 생활 어휘, 생활 한자!** 생활 맞춤 실용 독해 완성!

5 **똑똑한 독해 게임으로 사고력 넓히기!** 창의·융합 독해력 팍팍!

이 책의
구성과 활용

한 주에 공부할 내용을
한눈에 보고,
문제로 확인합니다.

주 도입

한 주 동안 매일 공부할 글의 제목과 내용을 만화로 미리 살펴
보고, 한 주의 독해 속 어휘를 만화와 문제로 확인합니다.

독해 코스

똑똑한 하루 독해 미리 보기

QR 코드를 찍으면
다양한 학습 자료를
보고 들을 수 있어요.

똑똑한 하루 독해

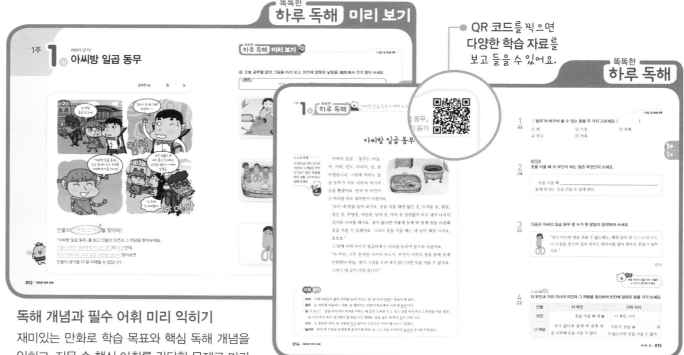

독해 개념과 필수 어휘 미리 익히기

재미있는 만화로 학습 목표와 핵심 독해 개념을
익히고, 지문 속 핵심 어휘를 간단한 문제로 미리
익히며 독해를 준비합니다.

실전 독해와 다양한 유형의 핵심 문제 풀기

여러 영역의 글을 읽고 다양한 유형의 문제로 독해를 완성합니다. 서술형 문제로
쓰기 연습을 해 보고, '스스로 독해 해결!' 문제로 자기 주도 학습 능력을 키웁니다.

어휘 문제로 마무리하기

글에 쓰인 어휘를 문제로 다시 한번 확인하고 비슷한말, 반대말 등 관련 어휘 학습으로 어휘력을 넓힙니다.

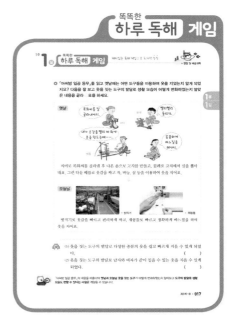

게임으로 독해력 넓히기

재미있는 독해 게임으로 독해력을 넓히고 하루의 독해 학습을 마무리합니다.

누구나 100점 테스트와 주 특강으로 한 주의 독해를 마무리해 봅니다.

주 마무리

누구나 100점 테스트

한 주 동안 공부한 내용을 평가해 보며 독해 실력을 확인하고, 독해에 대한 자신감을 키웁니다.

주 특강 창의·융합·코딩

다양한 형식의 창의·융합·코딩 미션을 해결하며 한 주의 중요 어휘를 확인하고 다양한 배경지식을 넓힙니다.

친구들과 약속해요!

우리 같이 약속해요!

첫째, 하루하루 빠짐없이 꾸준히 공부하기!

둘째, 하루 독해 문제 끝까지 다 풀기!

셋째, 틀린 문제는 왜 틀렸는지 다시 한번 확인하기!

약속하는 사람 _____

쉽고 재미있는
『똑똑한 하루 독해』로
독해 공부를 시작해 봐요.

똑 똑 한

하루
독해

DUMI

단계
3 B
2~3학년

1주에는
무엇을 공부할까? ❶

1-1 다음 뜻과 문장에 알맞은 낱말을 골라 ◯표를 하세요.

뜻 늘 친하게 어울리는 사람.

문장 아씨의 일곱 (동무 , 동생) 은/는 바늘, 자, 가위, 인두, 다리미, 실, 골무였답니다.

1-2 친구가 쓴 문장 에서 밑줄 그은 낱말과 뜻이 비슷한 낱말을 보기 에서 골라 쓰세요.

친구가 쓴 문장

동무들과 공기놀이를 했다.

보기

가족　　　언니　　　친구

▶ 정답 및 해설 8쪽

2-1 다음 동시에 알맞은 낱말을 골라 ○표를 하세요.

(개구장이 , 개구쟁이)래도 좋고요,
말썽꾸러기래도 좋은데요,
엄마,
제발 '하지 마. 하지 마.' 하지 마세요.
그럼 웬일인지
자꾸만 더 하고 싶거든요.

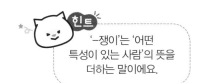

힌트

'-쟁이'는 '어떤
특성이 있는 사람'의 뜻을
더하는 말이에요.

2-2 친구가 쓴 문장 에서 밑줄 그은 낱말을 바르게 고쳐 쓰세요.

친구가 쓴 문장

내 동생은 심한 개구장이라서 부모님께서 늘 걱정하신다.

개 구 장 이 ➡

1일

이야기 (문학)

아씨방 일곱 동무

공부한 날   월   일

인물의 의견과 그 까닭을 찾아라!

「아씨방 일곱 동무」를 읽고 인물의 의견과 그 까닭을 찾아보세요.

인물이 어떤 대상에게 지니는 생각이 의견인데,

무슨 까닭으로 그와 같은 의견을 냈는지 찾아보면

인물의 생각을 더 잘 이해할 수 있답니다.

● 오늘 공부할 글의 그림을 미리 보고, 빈칸에 알맞은 낱말을 보기 에서 각각 찾아 쓰세요.

보기
각시	동무	아씨

❶

아랫사람들이 젊은 여자를 높여 이르는 말.
㉔ 옛날에 바느질을 즐겨 하는 ○○가 있었어요.

❷

늘 친하게 어울리는 사람.
㉔ 아씨의 일곱 ○○는 바늘, 자, 가위, 인두, 다리미, 실, 골무였답니다.

❸

갓 결혼한 여자.
㉔ 그 말에 가위 ○○가 성급하게 두 다리를 놀리며 앞으로 나섰어요.

「아씨방 일곱 동무」
전체 이야기 듣기

아씨방 일곱 동무

스스로 독해

자 부인과 가위 각시의 의견과 그 까닭은 무엇인가요? 점선 부분을 따라 선을 그으며 읽고 답해 보세요.

아씨의 일곱 ㉠동무는 바늘, 자, 가위, 인두, 다리미, 실, 골무였답니다. 그런데 하루는 일곱 동무가 서로 다투며 자기의 공을 뽐냈어요. 먼저 자 부인이 긴 허리를 뒤로 젖히면서 나섰어요.

"모두 내 말을 들어 보시오. 옷을 지을 때면 얇은 옷, 두꺼운 옷, 흰옷, 검은 옷, 무명옷, 비단옷, 남자 옷, 여자 옷 상관없이 모두 내가 나서서 길이와 너비를 재지요. 내가 없다면 어떻게 몸에 딱 맞게 천을 마련해 옷을 지을 수 있겠어요. 그러니 옷을 지을 때는 내 공이 제일 크지요. 호호호."

그 말에 가위 각시가 성급하게 두 다리를 놀리며 앞으로 나섰어요.

"자 부인, 너무 혼자만 나서지 마소서. 부인이 아무리 천을 몸에 맞게 마련한다 한들, 내가 그것을 오려 내지 않는다면 옷을 지을 수 없지요. 그러니 내 공이 가장 큽니다."

어휘 풀이

▼ **아씨** 아랫사람들이 젊은 여자를 높여 이르는 말. 예 우리 아씨는 얼굴이 참 곱다.

▼ **동무** 늘 친하게 어울리는 사람. 예 채민이는 민하가 학교에서 사귄 첫 동무이다.

▼ **공|공 공 功|** 일을 마치거나 목적을 이루는 데 들인 노력과 수고. 또는 일을 마치거나 그 목적을 이룬 결과.
예 우리 반이 축구 경기에서 옆 반을 이긴 데에는 골을 넣은 내 짝의 공이 가장 크다.

▼ **각시** 갓 결혼한 여자. 예 신랑과 각시 둘이서 오순도순 이야기를 나누고 있었다.

▼ **놀리며** 몸의 한 부분을 일정하게 움직이게 하며. 예 그는 손을 부지런히 놀리며 음식을 만들었다.

1
어휘

㉠'동무'와 바꾸어 쓸 수 있는 말을 두 가지 고르세요. (   )

① 벗   ② 스승   ③ 자매
④ 친구   ⑤ 가족

2
이해

서술형

옷을 지을 때 자 부인이 하는 일은 무엇인지 쓰세요.

옷을 지을 때 _____
몸에 딱 맞는 옷을 만들 수 있게 한다.

3
유추

다음은 아씨의 일곱 동무 중 누가 한 말일지 짐작하여 쓰세요.

"내가 아니면 천을 자를 수 없는데도, 매번 날이 잘 드느니 안 드느니 트집을 잡으며 집어 던지고 양다리를 잡아 함부로 흔들기 일쑤지요."

각시

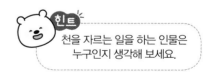

힌트

천을 자르는 일을 하는 인물은
누구인지 생각해 보세요.

4
요약

스스로 독해 해결!

자 부인과 가위 각시의 의견과 그 까닭을 정리하여 빈칸에 알맞은 말을 각각 쓰세요.

인물	자 부인	가위 각시
의견	옷을 지을 때 내 ❶	이 제일 크다.
그 까닭	자가 없다면 몸에 딱 맞게 천을 마련해 옷을 지을 수 없다.	가위가 천을 ❷　　　　　내지 않는다면 옷을 지을 수 없다.

1   다음 낱말에 알맞은 사진을 골라 ○표를 하세요.

> **골무**
>
> 바느질할 때 바늘귀를 밀기 위해 손가락에 끼는 도구.
> 예 골무를 끼고 바느질을 하면 손이 아프지 않다.

| (1) ( ) | (2) ( ) | (3) ( ) |

힌트
옷을 지을 때 필요한 도구 중 골무, 다리미,
인두 사진이 있네요. 어떤 게 골무일까요?

2   「아씨방 일곱 동무」에 쓰인 다음 문장에서 밑줄 그은 낱말과 뜻이 비슷한 말을 각각 찾아 선으로 이으세요.

(1) 하루는 일곱 동무가 서로 다투며 자기의 공을 뽐냈어요.   ·   · ① 폭

(2) 남자 옷, 여자 옷 상관없이 모두 내가 나서서 길이와 너비를 재지요.   ·   · ② 공로

(3) 그 말에 가위 각시가 성급하게 두 다리를 놀리며 앞으로 나섰어요.   ·   · ③ 새색시

◉ 「아씨방 일곱 동무」를 읽고 옛날에는 어떤 도구들을 이용하여 옷을 지었는지 알게 되었지요? 다음을 잘 보고 옷을 짓는 도구의 발달로 생활 모습이 어떻게 변화하였는지 알맞은 내용을 골라 ◯표를 하세요.

씨아로 목화씨를 골라낸 후 나온 솜으로 고치를 만들고, 물레로 고치에서 실을 뽑아내요. 그런 다음 베틀로 옷감을 짜고 자, 바늘, 실 등을 이용하여 옷을 지어요.

오늘날

 ◀방직기    ◀재봉틀

방직기로 옷감을 빠르고 편리하게 짜고, 재봉틀로 빠르고 정확하게 바느질을 하여 옷을 지어요.

 (1) 옷을 짓는 도구의 발달로 다양한 종류의 옷을 쉽고 빠르게 지을 수 있게 되었다.   (   )

(2) 옷을 짓는 도구의 발달로 남자와 여자가 같이 입을 수 있는 옷을 지을 수 있게 되었다.   (   )

 「아씨방 일곱 동무」의 내용을 떠올리며 **옛날과 오늘날 옷을 짓는 도구**가 어떻게 변화하였는지 알아보고 **도구의 발달로 생활 모습도 변할 수 있다는 사실**을 깨달을 수 있습니다.

담배꽁초 줍는 까마귀 청소부

공부한 날   월   일

미루어 생각하며 글을 읽어라!

까마귀가 어떤 동물일지 미루어 생각하며 「담배꽁초 줍는 까마귀 청소부」를
읽어 보세요. 까마귀에 대해 글에 나와 있는 내용과
자신이 원래부터 알고 있었던 경험이나 지식인 배경지식을 이용하면
까마귀가 어떤 동물일지 미루어 생각할 수 있답니다.

● 오늘 공부할 글과 그림을 미리 보고, 알맞은 낱말을 각각 찾아 표시하세요.

최근 까마귀를 길거리 청소부로 고용하자는 아이디어가 나와 화제예요.

① '이야기할 만한 재료나 소재.'라는 뜻의 낱말을 찾아 ○표를 하세요.

② '품삯을 주고 남한테 일을 시킴.'이라는 뜻의 낱말을 찾아 △표를 하세요.

③ '어떤 일에 대한 생각. 또는 새로운 생각.'이라는 뜻의 낱말을 찾아 □표를 하세요.

관련 동영상
시청하기

담배꽁초 줍는 까마귀 청소부

스스로 독해

까마귀는 어떤 동물일까요? 점선 부분을 따라 선을 그으며 읽고 미루어 생각해 보세요.

최근 까마귀를 길거리 청소부로 고용하자는 아이디어가 나와 ㉠화제예요. 네덜란드의 한 벤처 기업은 암스테르담에 '크로우바(Crowbar)'를 설치했어요. 까마귀가 담배꽁초를 물어 와 크로우바에 떨어뜨리면 담배꽁초가 기계 속으로 빨려 들어가고 먹이가 나와요. 담배꽁초를 가져오면 먹이가 나온다는 걸 까마귀들이 학습하게 해서 거리를 깨끗하게 하려는 거죠.

하지만 어떤 사람들은 까마귀가 담배꽁초를 모으게 되면 까마귀들의 건강을 해칠 수 있다고 우려해요.

역시 가장 좋은 건 사람들이 담배꽁초를 함부로 버리지 않는 것이겠죠?

❶ 까마귀가 담배꽁초를 물어 와 크로우바에 떨어뜨린다.

❷ 담배꽁초가 기계 속으로 빨려 들어가면 먹이가 나온다.

❸ 까마귀는 먹이를 가져간다.

어휘 풀이

▼**고용**|품 팔 고 雇, 쓸 용 用| 품삯을 주고 남한테 일을 시킴. 옌 사장은 누구를 고용할지 고민에 빠졌다.

▼**아이디어** 어떤 일에 대한 생각. 또는 새로운 생각. 옌 참신한 아이디어가 필요하다.

▼**화제**|말할 화 話, 제목 제 題| 이야기할 만한 재료나 소재.
옌 이번 모임에서는 미세 먼지를 화제로 삼아 대화를 나눴다.

▼**학습**|배울 학 學, 익힐 습 習| 배워서 익힘. 옌 채민이는 학습 능력이 뛰어나다.

▼**우려**|근심 우 憂, 생각할 려 慮| 근심하거나 걱정함. 또는 그 근심과 걱정. 옌 네 말은 지나친 우려야.

1
어휘

㉠'화제'와 바꾸어 쓸 수 있는 말은 무엇인가요? (   )

① 제목　　　　　　　② 재료　　　　　　　③ 숙제

④ 과제　　　　　　　⑤ 이야깃거리

2
유추

스스로 독해 해결!

이 글을 읽고 까마귀에 대해 미루어 생각할 수 있는 사실로 알맞은 것을 골라 ◯표를 하세요.

(1) 까마귀는 담배꽁초를 먹이라고 생각할 만큼 머리가 나쁘다.　　　（　　　）

(2) 까마귀는 담배꽁초를 물어 가면 먹이를 얻을 수 있다는 사실을 이해할 만큼 영리하다.　　　　　　　　　　　　　　　　　　　　　　　　　（　　　）

3
이해

서술형

사람들이 까마귀가 담배꽁초를 모으는 것을 걱정하는 까닭은 무엇인지 쓰세요.

까마귀가 담배꽁초를 모으게 되면 _____

_____ 때문이다.

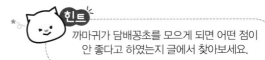 힌트
까마귀가 담배꽁초를 모으게 되면 어떤 점이 안 좋다고 하였는지 글에서 찾아보세요.

4
요약

이 글에서 중요한 내용을 정리하여 빈칸에 알맞은 말을 각각 쓰세요.

까마귀를 학습시켜 담배꽁초를 줍는 ❶ [   ]　　　　역할을 하게 하는

기계가 설치됐다. 하지만 이에 대해 까마귀들의 ❷ [   ]　　을 해칠 수 있다

는 우려의 의견도 있다.

▶ 정답 및 해설 9쪽

1 다음 그림을 보고 빈칸에 알맞은 글자를 보기 에서 각각 찾아 쓰세요.

보기

−부   −사   −자

| (1) 배달 | (2) 과학 | (3) 교 |

2 다음은 까마귀가 들어간 속담이에요. 알맞은 뜻을 각각 찾아 선으로 이으세요.

(1) 까마귀 고기를 먹었나 ·

① 잊어버리기를 잘하는 사람을 놀리거나 나무라는 말.

(2) 까마귀 날자 배 떨어진다 ·

② 아무 관계없이 한 일이 우연히 때가 같아 어떤 관계가 있는 것처럼 의심을 받게 됨을 빗대어 이르는 말.

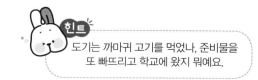
도기는 까마귀 고기를 먹었나, 준비물을 또 빠뜨리고 학교에 왔지 뭐예요.

◉ 까마귀가 담배꽁초를 줍는 청소부 역할도 할 수 있는 새라는 사실을 알았으니 이번에는 사람을 돕는 다른 새에 대해 알아볼까요? 다음 만화를 잘 읽고 알맞은 말을 골라 ◯표를 하세요.

 예부터 (1)(까치 , 비둘기)는 (2)(귀소 본능 , 모성 본능)이 강해 통신 수단의 하나로 이용됐다.

 「담배꽁초 줍는 까마귀 청소부」의 내용을 떠올리며 **비둘기 통신**에 대해 알아보고 **통신 수단의 변화**에 대해서도 생각해 봅니다.

개구쟁이

운율이 어떻게 만들어지는지 알아보아라!

운율을 느끼며 동시 「개구쟁이」를 읽어 보아요.

운율은 시를 읽을 때 느껴지는 노래와 같은 리듬이에요.

운율은 같은 말이나 구조가 반복되거나,

글자 수가 반복되면 만들어진답니다.

● 오늘 공부할 글의 그림을 미리 보고, 빈칸에 알맞은 낱말을 각각 찾아 쓰세요.

| 개구쟁이 | 심술쟁이 | 말썽꾸러기 | 욕심꾸러기 |

❶ ☐☐☐ 래도 좋고 ❷ ☐☐☐☐ 래도 좋지

→심하고 짓궂게 장난을 하는 아이. →자주 문제를 일으키는 말이나 행동을 하는 사람.

만 엄마한테 듣기 싫은 소리가 있대요.

과연 무엇일지 생각하며 시를 읽어 볼까요?

동시
「개구쟁이」
듣기

개구쟁이

문삼석

스스로 독해

◯ 속 말을 모두 색칠해 보세요. 이 시에서 반복되어 운율이 느껴지도록 해 주는 말이랍니다.

개구쟁이래도 좋고요,
말썽꾸러기래도 좋은데요,
엄마,
제발 하지 마. 하지 마. 하지 마세요.
그럼 ㉠
자꾸만 더 하고 싶거든요.

꿀밤을 주셔도 좋고요,
엉덩일 두들겨도 좋은데요,
엄마,
제발 못 살아. 못 살아.' 하지 마세요.
엄마가 못 살면
난 정말 못 살겠거든요.

못 살아.

어휘 풀이

▼ **개구쟁이** 심하고 짓궂게 장난을 하는 아이. 예 우리 아이는 개구쟁이라 옷이 늘 지저분하다.

▼ **말썽꾸러기** 자주 문제를 일으키는 말이나 행동을 하는 사람. 예 내 동생은 말썽꾸러기이다.

▼ **꿀밤** 주먹 끝으로 가볍게 머리를 때리는 짓. 예 형한테 장난을 치다 꿀밤을 맞았다.

1
어휘

다음 설명을 잘 읽고 ⊙ 안에 들어갈 알맞은 말을 골라 ◯표를 하세요.

> 갑자기 생각하지도 못한 일이 일어났을 때 어떻게 된 일이라는 뜻으로 쓰는 말이에요.

(왠일 , 웬일)인지

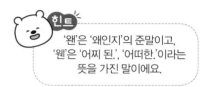

힌트
'왠'은 '왜인지'의 준말이고, '웬'은 '어찌 된.', '어떠한.'이라는 뜻을 가진 말이에요.

2
표현

스스로 독해 해결!

이 시에서 운율이 느껴지도록 반복되는 말이 아닌 것은 무엇인가요? (   )

① 좋고요   ② 좋은데요   ③ 제발
④ 하지 마세요   ⑤ 자꾸만

3
이해

서술형

'내'가 엄마에게 '못 살아.'라는 말을 하지 말라고 한 까닭은 무엇인지 쓰세요.

> 엄마가 못 살면 _____

4
요약

이 시의 내용을 정리하여 빈칸에 알맞은 말을 각각 쓰세요.

> 엄마, 자꾸만 더 하고 싶어지니까 '❶   .' 하지 마시고, 엄마
> 가 못 살면 '난' 정말 못 살겠으니까 '❷   .' 하지 말아 주세요.

1 다음 설명을 잘 읽고 어떤 사람을 가리키는 낱말인지 빈칸에 알맞은 말을 각각 쓰세요.

> 동시 「개구쟁이」에 나오는 '개구쟁이'라는 낱말에서 '-쟁이'는 '어떤 특성이 있는 사람'의 뜻을 더하는 말이에요.

(1) 거짓말쟁이:	(2) 욕심쟁이:	(3) 심술쟁이:
[ ] 을 잘 하는 사람.	[ ] 이 매우 많은 사람.	[ ] 이 매우 많은 사람.

> 힌트
> 거짓말쟁이, 욕심쟁이, 심술쟁이는 어떤 특성이 있는 사람을 뜻하는지 생각해 보세요.

2 동시 「개구쟁이」에 사용된 다음 낱말과 뜻이 비슷한 말을 보기 에서 각각 찾아 쓰세요.

> 보기
>
> 알밤   겁쟁이   장난꾸러기

(1) <u>개구쟁이</u>래도 좋고요,

↘

말썽꾸러기래도 좋은데요,

(2) <u>꿀밤</u>을 주셔도 좋고요,

↘

엉덩일 두들겨도 좋은데요,

● 동시 「개구쟁이」처럼 '개구쟁이'를 글감으로 쓴 다른 동시를 읽어 볼까요? 산복이의 모습을 떠올리며 「개구쟁이 산복이」를 읽고, 알맞은 흉내 내는 말을 각각 골라 ○표를 하세요.

1주
3일

개구쟁이 산복이

이문구

이마에 땀방울
(1)(송알송알 , 종알종알)
손에는 땟국이
반질반질
맨발에 흙먼지
(2)(우둘투둘 , 얼룩덜룩)
봄볕에 그을려
가무잡잡
멍멍이가 보고
엉아야 하겠네
까마귀가 보고
아찌야 하겠네

동시 「개구쟁이」의 내용을 떠올리며 같은 글감으로 서로 다른 시를 쓸 수 있음을 알고 **시의 내용에 어울리는 흉내 내는 말**을 골라 봅니다.

포기한 것에도 값어치가 있다

설명하는 글에서 중심 생각을 찾아 정리해라!

「포기한 것에도 값어치가 있다」를 읽고 중심 생각을 찾아보세요.

먼저 각 문단에서 중심 내용을 찾은 다음,

글 전체의 중심 생각을 한두 문장으로 정리하여 나타내면 된답니다.

● 오늘 공부할 글과 그림을 미리 보고, 알맞은 낱말을 각각 찾아 표시하세요.

한 가지를 선택함으로써 포기하게 되는 다른 것의 값어치를 조금 어려운 말로 '기회비용'이라고 해. 포기한 것으로부터 얻을 수 있었던 이득을 말하는 거지.

1 '이익을 얻음. 또는 그 이익.'이라는 뜻의 낱말을 찾아 ○표를 하세요.

2 '일정한 값에 해당하는 분량이나 가치.'라는 뜻의 낱말을 찾아 △표를 하세요.

기회비용에 대해
자세히 알아보기

포기한 것에도 값어치가 있다

스스로 독해

이 글의 중심 생각은 무엇일까요? 점선 부분을 따라 선을 그으며 읽고 답을 생각해 보세요.

'숙제를 할까? 게임을 할까?'

'짜장면을 먹을까? 짬뽕을 먹을까?'

아침에 눈을 뜨면서부터 저녁에 잠자리에 들기까지 매 순간들이 선택의 연속이야. 더 하고 싶은 일, 더 먹고 싶은 것 하나를 선택하면 자연스럽게 나머지 한 가지는 포기하게 되지. 이렇게 한 가지를 선택함으로써 포기하게 되는 다른 것의 값어치를 조금 어려운 말로 '기회비용'이라고 해. 포기한 것으로부터 얻을 수 있

었던 이득을 말하는 거지. 게임을 포기하고 숙제를 선택했다면 게임을 했을 때 얻을 수 있었던 이득이 숙제의 기회비용이 되는 거야.

그런데 둘 중에서 하나를 선택했을 때 사람들은 항상 만족할까? 그렇지 않아. 자신의 선택이 늘 최고일 수는 없으니까. '에이, 짬뽕이 맛이 없네. 그냥 짜장면 먹을걸.'이라고 후회할 수 있겠지.

후회하지 않는 선택을 하려면 당장 눈앞에 있는 좋은 것만 보지 말고, 그것을 선택하고 난 후에 벌어지는 일까지 멀리 내다보아야 해. 만족도가 더 높은 것, 즉 기회비용이 더 적은 것을 선택해야 하지.

어휘 풀이

▼ **값어치** 일정한 값에 해당하는 분량이나 가치. 예 이 물건은 값어치가 꽤 나간다.

▼ **이득**|이로울 이 利, 얻을 득 得| 이익을 얻음. 또는 그 이익. 예 이번 장사에서 큰 이득을 보았다.

▼ **눈앞** 아주 가까운 장래. 예 그는 눈앞에 다가오고 있는 위험을 전혀 모르고 있었다.

서술형

1
어휘

이 글에서 설명한 '기회비용'의 뜻을 쓰세요.

기회비용이란 _____

2
이해

후회하지 않는 선택을 하는 방법으로 알맞지 <u>않은</u> 것은 무엇인가요? (   )

① 멀리 내다보고 선택한다.

② 만족도가 더 높은 것을 선택한다.

③ 기회비용이 더 적은 것을 선택한다.

④ 눈앞에 있는 좋은 것만 보고 선택한다.

⑤ 선택하고 난 후에 벌어지는 일까지 생각하고 선택한다.

3
유추

이 글의 내용으로 보아 다음 상황에서 기회비용은 무엇인지 골라 ○표를 하세요.

현솔이는 축구를 할까 농구를 할까 고민하다가 농구 대신 축구를 했어요.

→ 현솔이의 선택에서 기회비용은 (축구 , 농구)를 했을 때 얻을 수 있었던 이득이다.

힌트
선택한 것과 포기한 것이
각각 무엇인지 구분해 보세요.

스스로 독해 해결!

4
요약

이 글의 중심 생각을 정리하여 빈칸에 알맞은 말을 각각 쓰세요.

❶ ▢▢▢▢ 이란 포기한 것으로부터 얻을 수 있었던 이득을 말한다. 후회하지 않는 선택을 하려면 기회비용이 더 ❷ ▢▢▢ 것을 선택해야 한다.

1   다음은 「포기한 것에도 값어치가 있다」에 나오는 문장이에요. 문장의 밑줄 그은 말과 뜻이 비슷한 말이나 뜻이 반대인 말을 보기 에서 각각 찾아 쓰세요.

보기

가치   손실   이익

(1) 포기한 것에도 <u>값어치</u>가 있다.

↳ 뜻이 비슷한 말: ☐

(2) 포기한 것으로부터 얻을 수 있었던 <u>이득</u>을 말하는 거지.

↳ 뜻이 반대인 말: ☐

힌트

'가치'는 '사물이 지니고 있는 쓸모.',
'손실'은 '잃거나 줄어서 입는 손해.',
'이익'은 '이롭거나 보탬이 되는 것.'을 뜻해요.

2   '짜장면'과 '자장면'처럼 표준어가 두 개 이상인 경우가 있어요. 다음 낱말과 같은 뜻의 표준어를 보기 에서 각각 찾아 쓰세요.

보기

강냉이   눈꼬리   봉선화

(1) '눈초리'와 ' ☐ '

(2) '옥수수'와 ' ☐ '

(3) '봉숭아'와 ' ☐ '

같은 뜻을 나타내는
표준어가 두 개 이상인 경우를
복수 표준어라고 해요.

● 다솔이가 필요한 물건들을 사러 마트에 왔어요. 「포기한 것에도 값어치가 있다」에서 설명한 기회비용의 내용을 잘 떠올리며 다음 문장에서 알맞은 말을 모두 골라 ○표를 하세요.

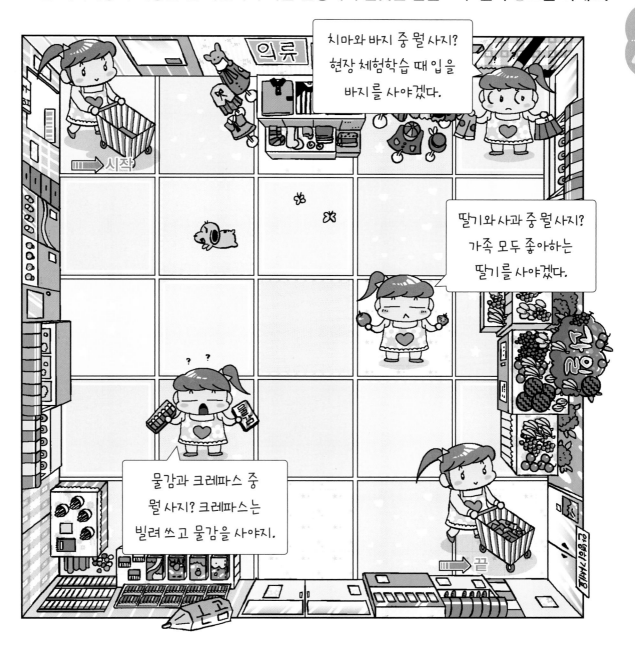

 다솔이의 선택에서 기회비용은 (치마 , 바지 , 딸기 , 사과 , 물감 , 크레파스)을/를 선택했을 때 얻을 수 있었던 이득이다.

 「포기한 것에도 값어치가 있다」의 내용을 떠올리며 **기회비용의 개념**을 다시 한번 확인해 봅니다.

생활 속 독해

도로명 주소

공부한 날　　월　　일

 안내하는 대상을 찾아라!

「도로명 주소」를 읽고 안내하는 대상을 찾아보세요.

안내문은 어떤 내용을 다른 사람에게 소개하고 알려 주려고 쓴 글이에요.

따라서 안내문은 어떤 내용을 소개하고 알려 주고 있는지 찾으며 읽어야 해요.

똑똑한 하루 독해 미리 보기

◉ 오늘 공부할 글의 그림을 미리 보고, 빈칸에 알맞은 낱말을 각각 찾아 쓰세요.

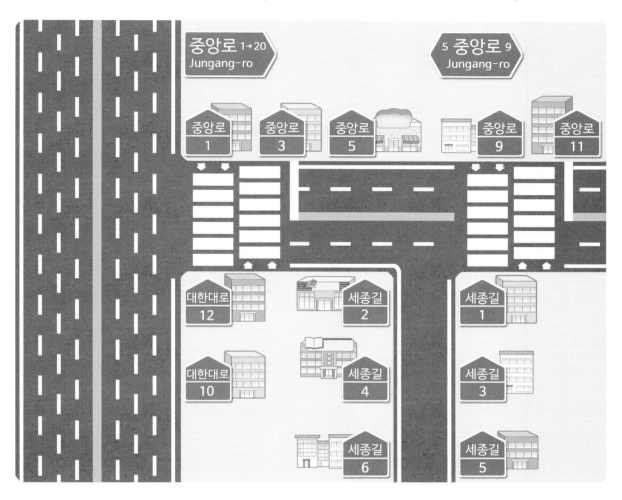

보호   부여   표기

내가 살고 있는 집의 도로명 주소를 알고 있나요?

도로명 주소의 ❶ ☐☐ 방법과 ❷ ☐☐ 방법을 알아볼까요?

┗ 문자나 기호를 써서   ┗ 사람에게 권리·명예·임무 따위를 지니도록 해 주거나,
언어를 표시함.   사물이나 일에 가치·의의 따위를 붙여 줌.

도로명 주소에 대해
자세히 알아보기

도로명 주소

스스로 독해

이 글은 무엇을 알려 주는 글인가요? 점선 부분을 따라 선을 그으며 읽고 답을 생각해 보세요.

1. 도로명 주소란?

'도로명 주소'란 도로에는 도로 이름을 붙이고 건물에는 도로에 따라 규칙적으로 건물 번호를 붙인 주소입니다. 도로명 주소를 사용하면 길을 찾기가 쉬워집니다.

도로 이름

건물 번호

2. 도로명 주소 표기 방법

◻ 도 ◻ 시·군 ◻ 읍·면＋도로 이름 건물 번호＋동·층·호

◻ 특별시·광역시 ◻ 구·군＋도로 이름 건물 번호＋동·층·호

예 서울특별시 영등포구 여의나루로 5, ○○동 ○○호

　　　　　　　　　　　도로 이름　건물 번호　　동·층·호

3. 도로명 주소 부여 방법

도로의 폭과 길이에 따라 8차로 이상이면 '대로', 2차로에서 7차로까지는 '로', '로'보다 좁은 도로는 '길'로 구분하여 도로의 이름을 붙입니다.

건물 번호는 도로 시작점에서 20미터 간격으로 도로의 왼쪽은 홀수, 오른쪽은 짝수 번호를 붙입니다.

어휘 풀이

▼ **표기** | 겉 표 表, 기록할 기 記 | 　문자나 기호를 써서 언어를 표시함.
　　예 우리 집 주소 표기가 잘못되어 바로잡았다.

▼ **부여** | 붙을 부 附, 더불 여 與 | 　사람에게 권리·명예·임무 따위를 지니도록 해 주거나, 사물이나 일에 가치·의의 따위를 붙여 줌. 예 그에게 새로운 임무를 부여하였다.

▼ **차로** | 수레 차 車, 길 로 路 | 　차가 한 줄로 정하여진 부분을 통행하도록 차선으로 구분한 찻길의 한 부분.
　　예 차로를 변경할 때에는 안전에 유의해야 한다.

1

이해

서술형

도로명 주소를 사용하면 어떤 점이 좋다고 하였는지 쓰세요.

도로명 주소를 사용하면 _____

2

이해

도로명 주소를 부여할 때 다음 그림의 ㉠~㉢ 중 '길'에 해당하는 곳의 기호를 쓰세요.

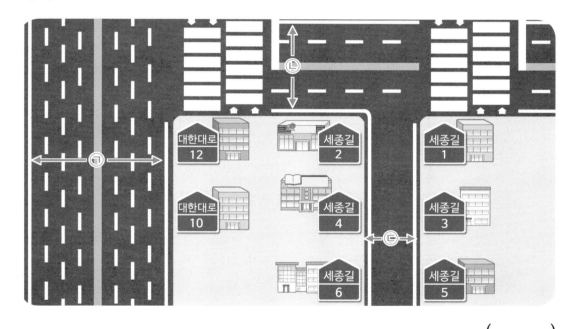

( )

힌트
'대로', '로', '길'로 구분하는
방법을 생각해 보세요.

3

요약

스스로 독해 해결!

이 글은 무엇을 알려 주는 글인지 빈칸에 알맞은 말을 각각 쓰세요.

이 글은 ❶ _____ 의 뜻, ❷ _____ 방법, 부여 방법
을 알려 주고 있다.

▶ 정답 및 해설 12쪽

1 다음 그림을 보고 「도로명 주소」의 내용에 알맞은 낱말을 각각 골라 ○표를 하세요.

편지는 우체국에 가서 부쳐요.

이야기 제목을 「안녕 친구야?」라고 붙였어요.

• '도로명 주소'란 도로에는 도로 이름을 (1)(부치고 , 붙이고), 건물에는 도로에 따라 규칙적으로 건물 번호를 (2)(부친 , 붙인) 주소입니다.

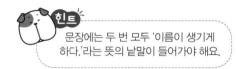

힌트
문장에는 두 번 모두 '이름이 생기게 하다.'라는 뜻의 낱말이 들어가야 해요.

2 다음 문장에 알맞은 낱말을 보기 에서 각각 찾아 쓰세요.

보기

| 부여 | 차로 | 표기 |

(1) 안내판에 잘못된 [   ] 가 있어 바로잡았다.

(2) 그는 새로 [   ] 된 임무가 마음에 들지 않았다.

(3) 운전할 때 [   ] 를 자주 바꾸는 것은 위험하다.

◉ 다음은 도기가 스마트폰의 응용 프로그램으로 도로명 주소를 검색하여 책을 만드는 회사인 천재교육에 가는 방법을 찾은 결과예요. 잘 보고 빈칸에 알맞은 숫자를 각각 쓰세요.

경로 1

32분(도보 7분)
④ 산본역(4호선)
① 금정역(1호선)
🚌 독산역 정류장
마을 금천01-1
○ LG전자가산A 정류장

경로 2

37분(도보 10분)
④ 산본역(4호선)
① 금정역(1호선)
🚌 가산디지털단지역 정류장
마을 금천03
○ LG전자 정류장

경로 3

43분(도보 20분)
④ 산본역(4호선)
① 금정역(1호선)

○ 가산디지털단지역(1호선)

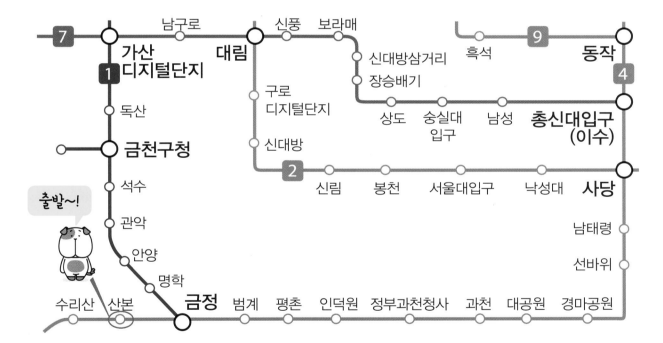

 도기는 가장 빠른 길인 경로 (1)[ ]을/를 선택했다. 4호선 산본역에서 지하철을 탄 후 금정역에서 (2)[ ] 호선으로 갈아타서 독산역에 도착하면 마을버스 금천 01-1번을 타는 경로이다.

🐻 「도로명 주소」의 내용을 떠올려 보고 **대중교통 수단을 이용하여 길을 찾아 목적지까지 가는 방법**을 익혀 봅니다.

[1~2] 다음 글을 읽고, 물음에 답하세요.

"모두 내 말을 들어 보시오. 옷을 지을 때면 얇은 옷, 두꺼운 옷, 흰옷, 검은 옷, 무명옷, 비단옷, 남자 옷, 여자 옷 상관없이 모두 내가 나서서 길이와 너비를 재지요. 내가 없다면 어떻게 몸에 딱 맞게 천을 마련해 옷을 지을 수 있겠어요. 그러니 옷을 지을 때는 내 공이 제일 크지요. 호호호."

그 말에 가위 각시가 성급하게 두 다리를 놀리며 앞으로 나섰어요.

"자 부인, 너무 혼자만 나서지 마소서. 부인이 아무리 천을 몸에 맞게 마련한다 한들, 내가 그것을 오려 내지 않는다면 옷을 지을 수 없지요. 그러니 내 공이 가장 큽니다."

1 자 부인과 가위 각시의 의견으로 알맞은 것을 골라 ◯표를 하세요.

(1) 옷을 지을 때 내 공이 제일 크다.

( )

(2) 옷을 지을 때 아씨의 공이 제일 크다.

( )

2 자 부인과 가위 각시가 하는 일을 찾아 각각 선으로 이으세요.

(1)
자 부인

• ① 천을 오려 낸다.

(2)
가위 각시

• ② 길이와 너비를 잰다.

[3~5] 다음 글을 읽고, 물음에 답하세요.

네덜란드의 한 벤처 기업은 암스테르담에 '크로우바(Crowbar)'를 설치했어요. 까마귀가 담배꽁초를 물어 와 크로우바에 떨어뜨리면 담배꽁초가 기계 속으로 빨려 들어가고 먹이가 나와요. 담배꽁초를 가져오면 먹이가 나온다는 걸 까마귀들이 학습하게 해서 거리를 깨끗하게 하려는 거죠.

3 다음과 같은 뜻의 낱말을 찾아 쓰세요.

배워서 익힘.

4 이 글을 읽고 까마귀에 대해 미루어 생각할 수 있는 사실을 고르세요. ( )

① 게으르다. ② 영리하다.

③ 적게 먹는다. ④ 욕심이 없다.

⑤ 머리가 나쁘다.

5 다음은 이 글의 내용을 요약한 것이에요. 빈칸에 알맞은 낱말을 보기 에서 골라 쓰세요.

보기

과학자 배달부 청소부

까마귀를 학습시켜 담배꽁초를 줍는 역할을 하게 하는 기계가 설치됐다.

[6~7] 다음 시를 읽고, 물음에 답하세요.

> ㉠개구쟁이래도 좋고요,
> ㉡말썽꾸러기래도 좋은데요,
> 엄마,
> 제발 '하지 마. 하지 마.' 하지 마세요.
> 그럼 ㉢왠일인지
> 자꾸만 더 하고 싶거든요.

6 ㉠~㉢ 중 바르지 않게 쓰인 낱말을 골라 기호를 쓰세요.

( )

7 이 시에서 엄마에게 하지 말라고 한 말은 무엇인가요? ( )

① 개구쟁이 ② 하지 마.
③ 말썽꾸러기 ④ 장난꾸러기
⑤ 공부 좀 해라.

8 다음 글을 읽고, 알맞은 말을 골라 ○표를 하세요.

> 한 가지를 선택함으로써 포기하게 되는 다른 것의 값어치를 조금 어려운 말로 '기회비용'이라고 해. 포기한 것으로부터 얻을 수 있었던 이득을 말하는 거지.

➡ 게임을 포기하고 숙제를 선택했다면 (게임 , 숙제)을/를 했을 때 얻을 수 있었던 이득이 기회비용이 되는 것이다.

[9~10] 다음 글을 읽고, 물음에 답하세요.

> '도로명 주소'란 도로에는 도로 이름을 붙이고 건물에는 도로에 따라 규칙적으로 건물 번호를 붙인 주소입니다. 도로명 주소를 사용하면 길을 찾기가 쉬워집니다.

9 무엇에 대해 알려 주는 글인지 골라 ○표를 하세요.

(1) 도로명 주소의 뜻 ( )
(2) 도로명 주소를 만든 사람 ( )
(3) 도로명 주소를 처음 사용한 때

( )

10 도로명 주소를 사용하면 어떤 점이 좋은지 알맞게 말한 사람의 이름을 쓰세요.

> 다솔: 도로명 주소를 사용하면 길을 찾기가 쉬워져.
> 지윤: 도로명 주소를 사용하면 건물과 도로가 깨끗해져.

( )

창의

1 다음 만화를 읽고, 1주차에서 배운 낱말을 떠올려 어휘 퀴즈에 알맞은 낱말을 빈칸에 각각 쓰세요.

어휘 퀴즈

❶ '품삯을 주고 남한테 일을 시킴.'을 뜻하는 말은? →

❷ '주먹 끝으로 가볍게 머리를 때리는 짓.'을 뜻하는 말은? →

❸ '그에게 새로운 임무를 ○○하였다.'의 빈칸에 들어갈 알맞은 말은? →

코딩

2 「담배꽁초 줍는 까마귀 청소부」에 나오는 까마귀가 담배꽁초를 물고 담배꽁초를 모으는 기계로 가고 있어요. 어떤 코딩 명령을 따라가야 할지 골라 ◯표를 하세요.

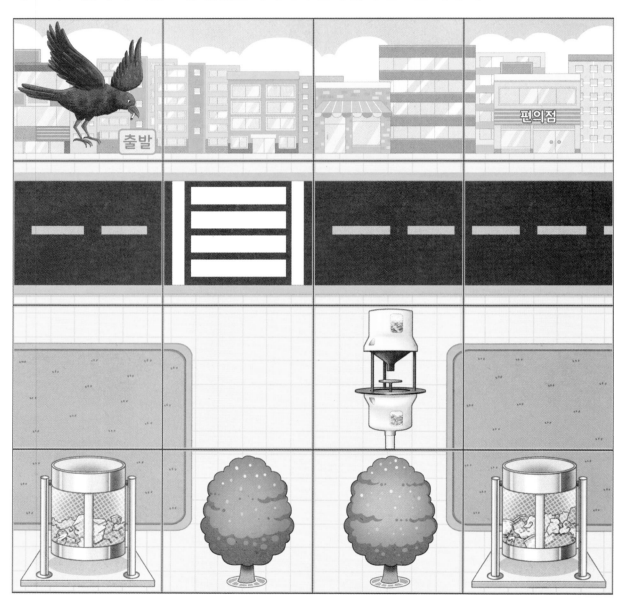

(1)
▶ 시작하기 버튼을 클릭했을 때
2 번 반복하기
오른쪽으로 1 칸, 아래쪽으로 1 칸 이동하기

(◯)

(2)
▶ 시작하기 버튼을 클릭했을 때
3 번 반복하기
오른쪽으로 1 칸, 아래쪽으로 1 칸 이동하기

(   )

융합

3 「도로명 주소」에서 도로명 주소를 사용하면 길을 찾기가 쉬워진다고 했어요. 도로명 주소를 사용하여 배달하는 햄버거 배달부가 배달 지점까지 몇 시에 도착할 수 있을지 시각을 바르게 표시한 것에 ○표를 하세요.

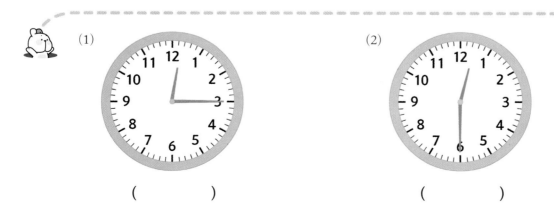

(1)   (2)

(   )   (   )

창의
4

생활 어휘

여권 발급 신청서를 보고 알맞은 낱말을 각각 골라 ◯표를 하세요.

여 권 발 급 신 청 서

※ 뒤쪽의 유의 사항을 반드시 읽고 작성하시기 바랍니다.

여 권 선 택 란	※ 아래 여권 종류, 여권 기간, 여권 면수를 선택 10년 유효 기간의 48면 여권이 발급되며, 자세한
여 권 종 류	☑ 일반　☐ 관용　☐ 외교관　여행증명서(
여 권 기 간	☑ 10년　☐ 단수(1년)　☐ 잔여 기간

필수 기재란	※ 뒤쪽의 기재 방법을 읽고 신중히 기재하오

사 진
- 신청일 전 6개월 이내 촬영한 천연색 상반신 정면 사진
- 흰색 바탕의 무배경 사진
- 색안경과 모자 착용 금지
- 가로 3.5cm×세로 4.5cm
- 머리(턱부터 정수리까지) 길이 3.2cm~3.6cm

한글 성명	도	기		
주 민 번 호	1	2	3	4	5
본인 연락처	1	2	7	7	0

※ 긴급 연락처는 다른 사람의 연락처를 기재하십시

긴급 연락처	성명	듬이	관

추가 기재란	※ 로마자 성명은 여권을 **처음 신청**하거나 기존의 로 재 방법을 읽고 신중히 기재하여 주시기 바랍니다

이번 방학에 미국에 사시는 이모 댁에 갈 거야.

여권이 필요하겠다. 빨리 여권부터 만들어.

얘들아!

여권은 외국을 여행하는 국민에게 나라에서 내어 주는 문서로, 여행하는 사람이 어느 나라 사람인지 증명해 줘. 일단 꼭 써야 하는 (1) (필수 , 추가) 기재란을 작성한 다음, 잘 모르는 것은 담당하시는 분께 여쭈어보면 돼. 사진 칸에 색안경과 모자 착용 금지라고 했으니까 색안경을 (2) (끼거나 , 벗거나) 모자를 (3) (쓴 , 벗은) 사진을 붙이면 안 돼!

어휘 풀이

▼**여권**|나그네 여 旅, 문서 권 券| 　외국을 여행하는 사람의 신분이나 국적을 증명하고 상대국에 그 보호를 의뢰하는 문서. 예 여권을 만들려고 증명사진을 찍었다.

▼**필수**|반드시 필 必, 모름지기 수 須| 　꼭 있어야 하거나 하여야 함. 예 건강을 위해 운동은 필수다.

▼**기재란**|기록할 기 記, 실을 재 載, 난간 란 欄| 　문서 따위에 기록하여 올리는 종이의 면. 예 지원서의 기재란을 빠짐없이 채워야 한다.

▼**착용**|붙을 착 着, 쓸 용 用| 　옷, 모자, 신발, 액세서리 따위를 입거나, 쓰거나, 신거나 차거나 함. 예 차에 타면 안전띠부터 착용해야 한다.

창의
5
생활 한자

表 자에 대해 알아보고, 다음 물음에 답하세요.

겉 **표**

겉 **표**

表 자는 털로 만든 겉옷을 그린 것으로 '겉'이라는 뜻을 표현한 글자예요.

(1) 表 자가 들어간 낱말을 알아보고, 한자의 음을 쓰세요.

① 오늘따라 채민이의 表情이 참 밝다.

정

힌트
38쪽에서 공부한 '표기'에 쓰인 表(겉 **표**) 자에 대해 알아보아요.

② 부모님께 감사의 表現으로 작은 선물을 준비했다.

현

(2) 한자 성어의 뜻을 알아보고, 빈칸에 알맞은 한자를 쓰세요.

表 裏 不 同
겉**표**　속**리**　아닌가**부**　같을**동**

겉으로 드러나는 말과 행동이 속으로 가지는 생각과 다름.

· 우리 형은 정말 　 裏 　 不 　 同 (표리부동)한 사람이다.

2주에는 무엇을 공부할까? ❶

1-1 다음 문장에 넣을 바른 낱말을 골라 ○표를 하세요.

아내는 옹고집의 성미를 잘 알기 때문에 조심스레 말했다.

"어머님의 이번 병환은 아무래도 (몸쌀 , 몸살)이 아닌 것 같아요. 자식이 되어 그냥 있을 수는 없지 않아요? 닭이라도 한 마리 삶아 드리는 게……."

1-2 다음 [친구가 쓴 글]에서 밑줄 그은 낱말을 바르게 고쳐 쓰세요.

친구가 쓴 글

주말에 가족들과 등산을 다녀왔다. 오래간만에 등산을 가서 그런지 지금 <u>몸쌀</u>로 온몸이 쑤시고 아프다.

힌트
'몸이 몹시 피로할 때 걸리는, 온몸이 쑤시고 기운이 없고 열이 나는 병.'이라는 뜻의 낱말은 '몸살'이에요.

몸 쌀 ➡ ☐ ☐

▶ 정답 및 해설 14쪽

2-1 다음 문장에 넣을 바른 낱말을 골라 ○표를 하세요.

커다란 동굴 안에 하얀 항아리들이 (쟌득 , 잔뜩) 놓여 있었어요.

"항아리는 모두 40개예요. 저 가운데 하나에 꽃담이가 들어 있어요. 어느 항아리에 들어 있는지 찾아보세요."

2-2 다음 문자 메시지의 빈칸에 보기 에서 알맞은 낱말을 골라 쓰세요.

보기

쟌득 　　　　 잔뜩

어제 희수 생일잔치에 가서 맛있는 음식을 ⬚ 먹었어. 넌 왜 안 왔니?

힌트

'잔뜩'은 '한계에 이를 때까지 가득.'이라는 뜻이에요.

옹고집전

공부한 날   월   일

⟨인물의 생각⟩을 짐작하자!

「옹고집전」을 읽으며 옹고집의 생각을 알아볼까요?

인물이 하는 말과 행동을 살펴보면 인물이 어떤 생각을 하는지 알 수 있어요.

옹고집이 하는 말을 살펴보고 편찮으신 어머니에 대한

옹고집의 생각을 짐작해 보아요.

◉ 오늘 공부할 글과 그림을 미리 보고, 알맞은 낱말을 각각 찾아 표시하세요.

늙은 어머니가 몸져눕자 옹고집은 불도 때지 않은 차디찬 방에 어머니를 홀로 내버려 두었다.

보다 못해 옹고집의 아내가 말했다.

"어머님이 편찮으신데 약이라도 지어 드려야죠."

1 '병이나 고통이 심하여 몸을 가누지 못하고 누워 있자.'라는 뜻의 낱말을 찾아 ○표를 하세요.

2 '자기 혼자서만.'이라는 뜻의 낱말을 찾아 △표를 하세요.

「옹고집전」에 대하여
더 알아보기

옹고집전

스스로 독해

옹고집은 편찮으신 어머니에 대해서 어떤 생각을 가지고 있나요? 점선 부분을 따라 선을 그으며 옹고집의 생각을 짐작하며 읽어 보세요.

늙은 어머니가 몸져눕자 옹고집은 불도 때지 않은 차디찬 방에 어머니를 홀로 내버려 두었다.

보다 못해 옹고집의 아내가 말했다.

"어머님이 편찮으신데 약이라도 지어 드려야죠."

갑자기 옹고집이 크게 소리쳤다.

"약 지을 돈이 어디 있소? 매번 저러다 나으시니 또 저절로 낫겠지."

아내는 옹고집의 ㉠성미를 잘 알기 때문에 조심스레 말했다.

"어머님의 이번 병환은 아무래도 몸살이 아닌 것 같아요. 자식이 되어 그냥 있을 수는 없지 않아요? 닭이라도 한 마리 삶아 드리는 게……."

옹고집은 금세 얼굴이 시뻘겋게 변하며 목에 힘줄을 세웠다.

"무슨 쓸데없는 소릴……. 닭 한 마리에 나을 병이라면 그냥 낫지 않겠어!"

하루에 두 끼라고 해야 아침엔 밥, 저녁엔 죽이었다.

몸져누운 어머니는 ㉡섧게 울었다.

"어찌 이럴 수 있단 말인가? 약은 못 지어 주더라도 끼니는 제대로 줘야지. 겨우 두 끼에 그나마도 한 끼는 죽으로 때우라니 너무 심하구나."

어휘 풀이

▼ **몸져눕자** 병이나 고통이 심하여 몸을 가누지 못하고 누워 있자. 예 어머니께서 몸져눕자 아버지께서 간호하셨다.

▼ **성미** |성품 성 性, 맛 미 味| 성질, 마음씨, 버릇 따위를 이르는 말. 예 흥부는 성미가 순하다.

▼ **병환** |병들 병 病, 근심 환 患| '병'의 높임말. 예 할머니께서 오랜 병환으로 끝내 돌아가셨다.

▼ **섧게** 화나고 억울하며 슬프게. 예 강아지가 아프자 아이는 섧게 울었다.

1
어휘

㉠, ㉡과 뜻이 비슷한 낱말을 골라 ○표를 하세요.

(1)	㉠'성미'	이름	입맛	성격

| (2) | ㉡'섧게' | 반갑게 | 서럽게 | 신나게 |

힌트
서로 바꾸어 쓸 수 있는
낱말을 찾아보아요.

2주
1일

스스로 독해 해결!

2
유추

다음 옹고집의 말에서 알 수 있는 생각을 두 가지 고르세요. (   )

• "약 지을 돈이 어디 있소? 매번 저러다 나으시니 또 저절로 낫겠지."
• "무슨 쓸데없는 소릴……. 닭 한 마리에 나을 병이라면 그냥 낫지 않겠어!"

① 돈이 가장 중요하다.　　　　② 가족이 가장 소중하다.
③ 건강이 가장 중요하다.　　　　④ 어머니께 돈을 쓰는 것이 아깝다.
⑤ 다른 사람에게 베풀며 살아야 한다.

서술형

3
이해

어머니께서 섧게 우신 까닭은 무엇인지 쓰세요.

옹고집이 약을 지어 주기는커녕 _____

_____

4
요약

이 이야기의 내용을 정리하여 빈칸에 알맞은 말을 각각 쓰세요.

늙은 ❶ _____ 가 몸져눕자 옹고집의 아내는
❷ _____ 이라도 지어 드리자고 했지만, 옹고집은 돈이
아까워서 약도 지어 주지 않고 끼니도 제대로 챙겨 주
지 않았다.

1 다음 낱말을 보고 보기 에서 높임의 뜻이 있는 낱말을 각각 찾아 빈칸에 쓰세요.

보기			
병환	주무시다	여쭈다	드리다

(1) 병 ―

(2) 주다 ―

(3) 묻다 ―

(4) 자다 ―

2 다음 낱말의 뜻을 읽고 빈칸에 알맞은 말을 각각 쓰세요.

낫다

병이나 상처 따위가 고쳐져 본래대로 되다.

낳다

배 속의 아이, 새끼, 알을 몸 밖으로 내놓다.

(1) 개가 새끼 강아지 다섯 마리를 　　　　.

(2) 병이 씻은 듯이 　　　　.

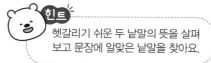

힌트
헷갈리기 쉬운 두 낱말의 뜻을 살펴 보고 문장에 알맞은 낱말을 찾아요.

3 다음 낱말에서 알 수 있는 사실은 무엇인지 알맞은 말에 ○표를 하세요.

빨갛다	뻘겋다	새빨갛다	시뻘겋다	빨그스레하다

우리말에는 (표정 , 색깔 , 계절)을 나타내는 말이 많구나!

● 옹고집은 나중에 어떻게 되었을까요? 「옹고집전」의 뒷이야기 를 읽어 보고 진짜 옹고집을 찾아 ○표를 하세요.

> 뒷이야기　옹고집을 괘씸하게 여긴 스님이 가짜 옹고집을 만들어서 진짜 옹고집은 매를 맞고 고을 밖으로 쫓겨나 거지 신세가 되었답니다. 나중에서야 옹고집은 자신의 죄를 깨닫고 착하게 살겠다고 다짐했답니다.

 이야기 「옹고집전」의 내용을 떠올리며 뒷이야기를 읽어 보고 **진짜 옹고집을 찾는 게임**을 해 봅니다.

사회 (비문학)

음식을 골고루 먹어요

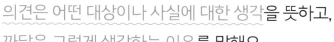 **의견과 까닭**을 찾아보자!

의견은 어떤 대상이나 사실에 대한 생각을 뜻하고,

까닭은 그렇게 생각하는 이유를 말해요.

글쓴이의 의견과 까닭을 찾아보며 「음식을 골고루 먹어요」를 읽어 보아요.

● 오늘 공부할 글의 그림을 미리 보고, 빈칸에 알맞은 낱말을 각각 찾아 쓰세요.

| 육식 | 편식 | 균형 | 섭취 |

여러분은 평소에 음식을 골고루 먹고 있나요? 혹시 자기가 좋아하는 음식만 가려

먹으며 ❶ □□ 하고 있지는 않나요? 편식을 하면 ❷ □□ 있게 자라

↳ 어떤 특정한 음식만을 가려서 즐겨 먹음.   ↳ 어느 한쪽으로 기울거나 치우치지 않고 고른 상태.

기 어렵고 비만이 되기 쉬워요.

우리 몸에
필요한 영양소
알아보기

음식을 골고루 먹어요

스스로 독해

글쓴이의 의견은 무엇일까요? 그리고 그렇게 생각한 까닭은 무엇일까요? 점선 부분을 따라 선을 그으며 그 답을 찾아보세요.

급식 시간마다 ▼편식하는 친구들을 ㉠종종 본다. 빵이나 짜장면 등 밀가루로 만든 음식이나 고기반찬은 잘 먹으면서 채소는 골라내고 먹지 않는다. 우리는 왜 음식을 골고루 먹어야 할까? 편식을 하면 안 되는 까닭에 대하여 알아보자.

첫째, 편식을 하면 ▼균형 있게 자라기 어렵다. ▼영양소는 여러 가지 음식에 골고루 들어 있으므로 음식을 골고루 먹어야 여러 가지 영양소를 ▼섭취할 수 있고 건강해질 수 있다.

둘째, 편식을 하면 비만이 되기 쉽다. 편식을 하는 친구들이 몸에 좋은 채소 등은 잘 먹지 않고 기름지고 설탕이 많이 들어간 음식을 좋아하다 보니 살이 찌게 되는 것이다.

우리 모두 편식하는 ㉡습관을 버리고 음식을 골고루 먹어서 우리의 건강을 지키자.

어휘 풀이

▼**편식** | 치우칠 편 偏, 먹을 식 食 | 어떤 특정한 음식만을 가려서 즐겨 먹음. 예 편식을 하지 말자.

▼**종종** | 씨 종 種, 씨 종 種 | 시간적·공간적 간격이 얼마쯤씩 있게. 예 돌아가신 할머니가 종종 생각이 난다.

▼**균형** | 고를 균 均, 저울대 형 衡 | 어느 한쪽으로 기울거나 치우치지 않고 고른 상태.

▼**영양소** | 경영할 영 營, 기를 양 養, 흴 소 素 | 영양분이 들어 있는 물질. 단백질, 탄수화물, 지방, 비타민, 무기질 등이 있음. 예 영양소를 골고루 섭취해야 건강해진다.

▼**섭취** | 당길 섭 攝, 취할 취 取 | 양분 따위를 몸속에 빨아들이는 일. 예 많은 양의 설탕 섭취는 살을 찌운다.

1
어휘

㉠, ㉡과 뜻이 비슷한 낱말을 골라 ○표를 하세요.

(1)	㉠'종종'	가끔	전혀	열심히

(2)	㉡'습관'	결과	노력	버릇

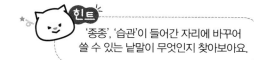

힌트

'종종', '습관'이 들어간 자리에 바꾸어 쓸 수 있는 낱말이 무엇인지 찾아보아요.

2주
2일

2
이해

서술형

글쓴이가 급식 시간에 보았던 친구들의 모습을 쓰세요.

밀가루로 만든 음식이나 고기반찬은 잘 먹으면서 _____

_____ 먹지 않는 친구들의 모습

3
이해

다음 중 편식을 하면 안 좋은 점으로 말한 것을 두 가지 고르세요. (   )

① 비만이 되기 쉽다.
② 건강을 지킬 수 있다.
③ 친구를 사귀기 어렵다.
④ 균형 있게 자라기 어렵다.
⑤ 여러 가지 영양소를 섭취할 수 있다.

4
요약

스스로 독해 해결!

이 글의 내용을 의견과 까닭으로 정리하여 빈칸에 알맞은 말을 각각 쓰세요.

의견	❶ _____ 하는 습관을 버리고 음식을 골고루 먹자.
까닭	• 편식을 하면 균형 있게 자라기 어렵다. • 편식을 하면 ❷ _____ 이 되기 쉽다.

1 다음과 같은 뜻을 가진 낱말을 보기 에서 각각 찾아 쓰세요.

보기
편식   균형   섭취   열량   비만

(1) 살이 쪄서 몸이 뚱뚱함. →

(2) 양분 따위를 몸속에 빨아들이는 일. →

(3) 어느 한쪽으로 기울거나 치우치지 않고 고른 상태. →

2 다음 낱말의 뜻을 보고 빈칸에 알맞은 낱말을 골라 쓰세요.

반드시   틀림없이 꼭.

반듯이   생각이나 행동 따위가 비뚤어지거나 기울거나 굽지 않고 바르게.

 밖에 나갔다가 들어오면   손을 씻습니다.

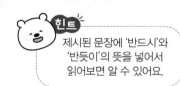
힌트
제시된 문장에 '반드시'와 '반듯이'의 뜻을 넣어서 읽어보면 알 수 있어요.

3 '소고기'와 '쇠고기'는 모두 표준어입니다. '자장면'과 함께 표준어인 낱말을 찾아 ○표를 하세요.

소고기 – 쇠고기

자장면 – (짜장면 , 자짱면)

● 듬이와 도기가 뷔페에 갔습니다. 다음 표를 보고, 도기가 모든 영양소를 섭취할 수 있도록 도기의 식판에 알맞은 음식의 이름을 쓰세요.

탄수화물	지방	단백질	비타민·무기질
밥, 빵, 고구마, 감자, 떡, 국수	기름, 땅콩, 호두	고기, 생선, 콩, 계란, 두부	채소, 과일, 버섯

2주
2일

빵　국수　쌀밥　콩밥　고기　버섯볶음

감자볶음　생선 구이　땅콩·호두　삶은 계란　두부조림　사과　샐러드　떡

* 버섯볶음, 감자볶음, 생선 구이, 두부조림은 모두 기름을 넣어 요리하였습니다.

 듬이 　난 이렇게 음식을 골고루 먹지!

 도기 　나도 음식을 골고루 먹을 거야!

 「음식을 골고루 먹어요」의 내용을 떠올리며 **우리 몸에 필요한 영양소**에는 무엇이 있는지 살펴보고, 도기의 식판에 알맞은 음식을 넣어 봅니다.

초록 고양이

인물의 입장이 되어 마음을 짐작하자!

「초록 고양이」를 읽고 꽃담이 엄마의 입장이 되어 보세요.

꽃담이가 사라졌을 때 꽃담이 엄마의 마음은 어땠을까요?

인물이 처한 상황에서 인물의 마음을 생각해 보아요.

● 오늘 공부할 글의 그림을 미리 보고, 빈칸에 알맞은 낱말을 각각 찾아 쓰세요.

2주
3일

| 항아리 | 유리병 | 감쪽같이 | 한결같이 |

❶ [   ][   ][   ]   사라진 엄마! 하지만 꽃담이는 엄마의 냄새로 엄마가

          ↳ 꾸미거나 고친 것이 전혀 알아챌 수 없을 정도로 티가 나지 않게.

들어 있는 ❷ [   ][   ][   ] 를 한 번에 찾아냈지요. 그런데 어느 날 꽃담이가

          ↳ 흙으로 배가 불룩하게 빚어 구운 그릇.

사라졌대요. 꽃담이는 어디로 갔을까요?

「초록 고양이」의
앞 이야기 듣기

초록 고양이

스스로 독해

꽃담이가 사라진 것을 알고 엄마의 마음은 어땠을까요? 점선 부분을 따라 선을 그으며 엄마가 처한 상황을 살펴보고 엄마의 마음을 짐작해 보세요.

어느 날 꽃담이가 사라졌어요.

세수하러 욕실에 들어가서 나오지 않았어요.

엄마는 욕실 문을 열어 봤지만, 꽃담이가 없었어요. 감쪽같이 사라진 거예요.

그때 낄낄낄 웃음소리가 들렸어요.

"꽃담이는 내가 데려갔어요."

초록 고양이가 말했어요. 발에 노란 장화를 신고 있었어요.

엄마가 말했어요.

"우리 꽃담이를 돌려줘!"

초록 고양이가 수염을 쓰다듬으며 말했어요.

"쉽게 돌려줄 수는 없어요. 딸을 찾고 싶으면 나를 따라와요."

초록 고양이가 노란 장화 신은 발을 탁탁 굴렀어요.

커다란 동굴 안에 하얀 항아리들이 잔뜩 놓여 있었어요.

"항아리는 모두 40개예요. 저 가운데 하나에 꽃담이가 들어 있어요. 어느 항아리에 들어 있는지 찾아보세요. 뚜껑을 열어 봐서도 안 되고, 딸 이름을 불러서도 안 돼요."

어휘 풀이

▼ **감쪽같이** 꾸미거나 고친 것이 전혀 알아챌 수 없을 정도로 티가 나지 않게.
  예 무릎에 난 상처가 감쪽같이 아물었다.

▼ **항|항아리 항 缸|아리** 흙으로 배가 불룩하게 빚어 구운 그릇.

▲ 항아리

1 꽃담이 엄마가 처한 상황으로 알맞은 것에 ◯표를 하세요.
이해

(1) 사라진 꽃담이를 찾아야 하는 상황 ( )

(2) 사라진 고양이를 찾아야 하는 상황 ( )

(3) 자신의 항아리가 무엇인지 찾아야 하는 상황 ( )

2 스스로 독해 해결!
유추
위 **1**에서 답한 상황에 처한 꽃담이 엄마의 마음은 어떠할까요? ( )

① 재미있다. ② 지루하다. ③ 부끄럽다.

④ 자랑스럽다. ⑤ 걱정스럽다.

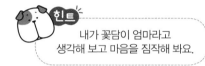

힌트
내가 꽃담이 엄마라고
생각해 보고 마음을 짐작해 봐요.

3 서술형
이해
초록 고양이는 엄마가 꽃담이를 찾을 때 무엇을 하면 안 된다고 했는지 쓰세요.

• 항아리의 뚜껑을 열어 봐서는 안 된다.

• _____ 안 된다.

힌트
초록 고양이가 말한 조건
두 가지를 생각해 봐요.

4 이 이야기에서 일어난 일을 정리하여 빈칸에 알맞은 말을 각각 쓰세요.
요약

초록 고양이가 ❶ _____ 를 데려갔다. → 초록 고양이는 꽃담이

엄마에게 항아리의 ❷ _____ 을 열어 보지 말고, 꽃담이의 이름을 불러서

도 안 된다고 말한 뒤, 꽃담이가 들어 있는 항아리를 찾아보라고 하였다.

1 다음 중 웃음소리를 흉내 내는 낱말을 모두 찾아 ○표를 하세요.

⟨낄낄⟩   탁탁   키득키득   콩콩   쿵쾅   깔깔

2 다음 사진 속 물건을 모두 포함하는 낱말은 무엇인지 두 글자로 쓰세요.

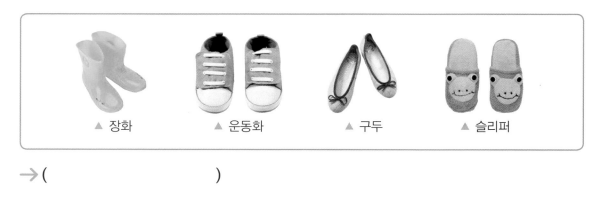

▲ 장화   ▲ 운동화   ▲ 구두   ▲ 슬리퍼

→ (   )

3 글자는 똑같이 '굴'이지만 길게 소리 내거나 짧게 소리 내는 것으로 뜻이 달라져요. ㉠, ㉡ 중 길게 소리 내야 하는 낱말을 찾아 기호를 쓰세요.

| 굴: | 굴 |

굴에서 바다를 바라보며 향긋한 굴을
㉠   ㉡
먹었다.

→ (   )

힌트
':' 표시는 길게 소리
내라는 뜻이에요.

● 여러분의 집에도 초록 고양이가 나타나 엄마를 숨겼어요. 초록 고양이의 말에 있는 기호가
 나타내는 글자가 무엇인지 찾아보고, 엄마가 계신 항아리를 찾아 ○표를 하세요.

기호	★	◆	♥	♠	◈	▣	◐	◑	◉
나타내는 글자	간	색	빨	록	이	흰	초	위	금

 이야기 「초록 고양이」의 내용을 떠올리며 초록 고양이가 어떤 항아리에 엄마를 숨겼다고 하였는지 **항아리의 특징**을 살펴봅니다.

과학 (비문학)

화성에 생물이 살 수 있을까

공부한 날   월   일

설명하는 대상의 특징을 정리하자!

「화성에 생물이 살 수 있을까」를 읽고 화성의 특징을 찾아보아요.

'첫째', '둘째', '마지막으로'와 같은 말에 주의하며

화성이 지구 다음으로 살 만한 곳인 까닭을 정리해 보아요.

◉ 오늘 공부할 글의 그림을 미리 보고, 빈칸에 알맞은 낱말을 각각 찾아 쓰세요.

| 흔적 | 조사 | 화성 |

과학자들은 ❶ [   ] 에 생물이 살고 있을지도 모른다고 생각했대요. 이곳
→ 태양에서 넷째로 가까운 행성.

에 물이 있었던 ❷ [   ] 이 남아 있기 때문이지요. 정말 이곳에 생물이 살
→ 무엇이 없어졌거나 지나간 뒤에 남은 자국.

수 있을까요?

여러 가지 행성
이름의 유래
알아보기

화성에 생물이 살 수 있을까

스스로 독해

많은 과학자들이 사람이 살 만한 곳으로 화성을 꼽는 까닭은 무엇일까요? 점선 부분을 따라 선을 그으며 화성의 특징을 살펴보아요.

화성에는 물이 있었던 흔적이 있다. 그래서 과학자들은 화성에 생물이 살고 있을지도 모른다고 생각했다. 물이 있으면 생물이 살기 아주 좋기 때문이다. 하지만 1997년에 화성 탐사선이 화성을 조사했을 때, 어떤 생물도 찾을 수 없었다.

많은 과학자들은 앞으로 인간이 지구에서 살 수 없을 때 그다음으로 살 수 있는 곳이 화성이라고 말한다. 과학자들이 그렇게 생각한 까닭은 무엇일까?

첫째, 화성에 물이 있기 때문이다. ㉠ 지구처럼 바다가 있는 것은 아니지만, 북극처럼 얼음 형태로 많은 물이 있어서 얼음을 녹이면 물을 얻을 수 있다.

둘째, 하루의 길이와 계절의 변화가 지구와 비슷하기 때문이다. 화성의 하루 길이는 지구보다 겨우 30분 정도 길다. 그러므로 지구에서 살던 사람들이 적응하며 살기 편할 것이다.

마지막으로, 화성에 바람이 많이 불기 때문이다. 태양 에너지와 함께 풍력 에너지를 이용하여 생활에 필요한 에너지를 얻을 수 있다.

어휘 풀이

▼**화성**|불 화 火, 별 성 星| 태양에서 넷째로 가까운 행성. ㉮ 화성은 영화의 배경으로 많이 나온다.

▼**흔적**|흉터 흔 痕, 자취 적 迹| 무엇이 없어졌거나 지나간 뒤에 남은 자국.
　　㉮ 집안 곳곳에 아기가 낙서한 흔적이 남아 있다.

▼**탐사선**|찾을 탐 探, 조사할 사 査, 배 선 船| 우주 공간에서 지구나 다른 행성들을 탐사하기 위해 쏘아 올린 비행 물체. ㉮ 탐사선이 찍은 화성 사진이 공개되었다.

▼**적응**|갈 적 適, 응할 응 應| 어떤 곳이나 일에 익숙해지는 것. ㉮ 새 학교에 아직 적응하지 못하였다.

1
문법

ㅣ ㉠ ㅣ 안에 들어가기에 알맞은 말을 찾아 ◯표를 하세요.

(만약 , 비록 , 왜냐하면)

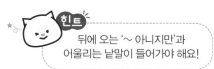
힌트
뒤에 오는 '~ 아니지만'과
어울리는 낱말이 들어가야 해요!

2
이해

화성에 생물이 살고 있을지도 모른다고 생각한 까닭은 무엇인가요? ( )

① 기후가 높아서

② 비가 전혀 내리지 않아서

③ 지구와 같이 산소가 풍부해서

④ 물이 있었던 흔적이 있어서

⑤ 사람이 살았던 흔적이 있어서

 스스로 독해 해결! 서술형

3
이해

많은 과학자들이 화성이 사람이 살 만한 곳이라고 보는 까닭을 쓰세요.

- 화성에 물이 있기 때문이다.

- 하루의 길이와 계절의 변화가 (1)_____
_____ 때문이다.

- 화성에 (2)_____
때문이다.

4
요약

이 글의 내용을 다음과 같이 정리할 때 빈칸에 알맞은 낱말을 각각 쓰세요.

- 화성에는 ❶_____ 이 있다.
- 화성은 하루의 길이와 계절의 변화가 지구와 비슷하다.
- 화성에는 ❷_____ 이 많이 분다.

→

화성은 인간이 지구에서 살 수 없을 때 그다음으로 살 수 있는 곳이다.

▶ 정답 및 해설 17쪽

1　다음 낱말 앞에 '무'를 넣어 뜻이 반대인 낱말을 만들어 보세요.

(1) 생물 ↔　무 생물　　　　　　(2) 책임 ↔　　　　책임

(3) 자비 ↔　　　　　　　　　　(4) 감각 ↔

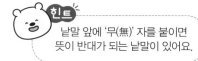

힌트
낱말 앞에 '무(無)' 자를 붙이면
뜻이 반대가 되는 낱말이 있어요.

2　다음 밑줄 그은 말과 바꾸어 쓸 수 있는 이어 주는 말을 찾아 ◯표를 하세요.

> 　물이 있으면 생물이 살기 아주 좋기 때문이다. <u>하지만</u> 1997년에 화성 탐사선이 화성을 조사했을 때, 어떤 생물도 찾을 수 없었다.

(1)
그래서
(　　　)

(2)
그러나
(　　　)

(3)
그리고
(　　　)

3　다음 설명을 읽고 빈칸에 알맞은 낱말을 각각 쓰세요.

> 태양 에너지　태양이 내보내는 열과 빛을 이용하는 에너지.
>
> 풍력 에너지　바람의 세기를 이용하는 에너지.
>
> 수력 에너지　물이 가지는 위치나 운동을 이용하는 에너지.

태양을 이용하는
태양 에너지

❶　　　　의 힘을 이용
하는 풍력 에너지

❷　　　　을 이용하는
수력 에너지

○ 우주에는 화성 말고 또 어떠한 것들이 있을까요? 다음 사진을 보고 다섯 고개 놀이에 알맞은 답을 빈칸에 쓰세요.

▲ 소행성

▲ 태양

▲ 혜성

▲ 지구

▲ 토성 / 고리

긴 꼬리가 있나요?

아니요.

둥근 모양인가요?

예.

사람이 살 수 있나요?

아니요.

고리가 있나요?

아니요.

붉은색인가요?

예.

정답은 　　　　입니다.

「화성에 생물이 살 수 있을까」의 내용을 떠올리며 화성과 같이 **우주에 떠 있는 것**들에는 무엇이 있는지 사진을 살펴보고, 알맞은 답을 찾아봅니다.

드라이어 사용 설명서

공부한 날   월   일

물건을 사용하면서 주의할 점을 찾아보자!

사용 설명서에는 제품의 이름이나 특징, 사용할 때의 주의 사항 등이 적혀 있어요.

사용 설명서를 제대로 읽지 않고 사용하면 다칠 수 있고,

제품이 고장 날 수도 있어요.

어떤 점에 주의해야 할지 내용을 살펴보아요.

● 오늘 공부할 글의 그림을 미리 보고, 빈칸에 알맞은 낱말을 보기 에서 각각 찾아 쓰세요.

보기

감전	소음	플러그	지킴이

❶

기분 나쁘게 시끄러운 소리.
㉠ 이 드라이어는 ○○이 거의 없다.

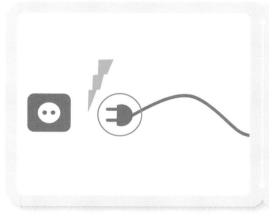

❷

전기 회로를 쉽게 잇거나 끊을 수 있도록 전
선의 끝에 달린 장치.
㉠ 드라이어를 사용한 다음에는 ○○○를 뽑
아야 한다.

❸

전기가 흐르는 물체에 몸이 닿아 충격을 받
는 것.
㉠ 물기가 많은 곳에서 드라이어를 사용하면
○○의 위험이 있다.

스스로 독해

드라이어를 사용할 때
에 주의할 점은 무엇
인가요? 점선 부분을
따라 선을 그으며 답
을 찾아 보세요.

드라이어 사용 설명서

■ 제품 이름

모발 지킴이 드라이어

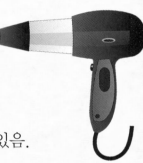

■ 제품 특징

– 머리를 상하지 않게 함.

– 소음이 거의 없음.

– 바람의 세기를 쉽게 조절할 수 있음.

■ 사용할 때의 주의 사항

– 사용한 다음에는 전원 플러그를 뽑아 주세요.

– 젖은 손으로 절대 사용하지 마세요.

– 물기가 많은 곳에서 사용하면 감전 위험이 있어요.

어휘 풀이

소음|떠들 소 騷, 소리 음 音|　기분 나쁘게 시끄러운 소리.

　예 소음으로 인한 아파트 주민 간의 다툼이 종종 일어난다.

플러그　전기 회로를 쉽게 잇거나 끊을 수 있도록 전선의 끝에 달린 장치.

감전|느낄 감 感, 전기 전 電|　전기가 흐르는 물체에 몸이 닿아 충격을 받는 것.

　예 가전제품을 잘못 다루면 감전으로 다칠 수도 있다.

▲ 플러그

1
이해

이 글을 통해 알 수 <u>없는</u> 것을 두 가지 고르세요. (   )

① 제품의 이름   ② 제품의 특징

③ 제품의 가격   ④ 제품을 만든 회사

⑤ 제품을 사용할 때의 주의 사항

2
이해

서술형
이 글에서 설명한 드라이어의 특징은 무엇인지 쓰세요.

> 머리를 상하지 않게 하고 소음이 거의 없으며 _____
>
> _____

3
유추

이 글을 읽고 드라이어를 바르게 사용한 친구를 찾아 ○표를 하세요.

(1) 물기가 많은 욕실에서 사용한 주현 (   )

(2) 사용한 다음 플러그를 콘센트에 그대로 꽂아 둔 은호 (   )

(3) 머리를 감은 뒤 손을 마른 수건으로 잘 닦고 사용한 세연 (   )

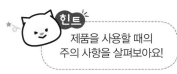
힌트
제품을 사용할 때의
주의 사항을 살펴보아요!

4
요약

스스로 독해 해결!
드라이어를 사용할 때의 주의 사항은 무엇인지 빈칸에 알맞은 말을 각각 쓰세요.

| 사용한 다음에는 ❶ [ ][ ] 플러그를 뽑는다. | ❷ [ ][ ] 손으로 절대 사용하지 않는다. | 물기가 많은 곳에서 사용하면 ❸ [ ][ ] 위험이 있다. |

1 '지킴이'라는 낱말이 만들어진 과정과 그 뜻을 살펴보고 빈칸에 알맞은 낱말을 써넣으세요.

지킴 + 이 = 지킴이
     ↳그러한   ↳지키는 사람.
      사람이나 사물.

예 우리 마을에는 마을을 깨끗하게 해 주는 환경 지킴이가 있어요.
     ↳환경을 지키는 사람.

(1) 똑똑 + = 똑똑이
           ↳똑똑한 사람.

(2) 절름발 + 이 =
              ↳다리를 저는 사람.

힌트
'이'가 붙어 만들어진 낱말에는 '애꾸눈이', '멍청이' 등도 있어요.

2 다음 밑줄 그은 '머리'는 어떤 뜻으로 쓰인 것인지 알맞은 것을 찾아 ○표를 하세요.

이 드라이어는 <u>머리</u>를 상하지 않게 한다.

(1) 사람이나 동물의 목 위의 부분.	(2) 생각하고 판단하는 능력.	(3) 머리에 난 털.
( )	( )	( )

● 드라이어를 사용할 때의 주의 사항을 잘 지켜서 재미있는 과학 실험을 해 볼까요? 실험 결과가 어떻게 나왔는지 알맞은 말에 ○표를 해 보세요.

준비물 드라이어, 젖은 손수건, 온도계, 시계, 연필, 수첩

실험 방법

온도계가 가리키는 온도를 수첩에 적는다.

물에 적신 손수건으로 온도계의 아랫부분을 감싼다.

드라이어를 찬바람으로 켜고, 5분 정도 손수건을 말린다.

드라이어를 끄고 온도계의 눈금을 확인한다.

실험 결과

　그림 4 를 통해 온도계의 눈금이 (올라간다 , 내려간다)는 것을 알 수 있습니다. 손수건에 묻은 물이 드라이어의 바람에 의해 공기 중으로 날아가면서 주변의 열을 빼앗았기 때문입니다.

드라이어를 사용할 때의 주의 사항을 잘 지켜 **재미있는 실험**을 해 봅니다.

[1~2] 다음 글을 읽고, 물음에 답하세요.

늙은 어머니가 몸져눕자 옹고집은 불도 때지 않은 차디찬 방에 어머니를 홀로 내버려 두었다.

보다 못해 옹고집의 아내가 말했다.

"어머님이 편찮으신데 약이라도 지어 ㉠쥐야죠."

갑자기 옹고집이 크게 소리쳤다.

㉡"약 지을 돈이 어디 있소? 매번 저러다 나으시니 또 저절로 낫겠지."

1 ㉠을 알맞은 높임 표현으로 고쳐 쓰세요.

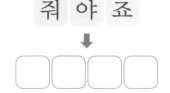

쥐 야 죠

↓

□ □ □ □

2 ㉡의 말에서 알 수 있는 옹고집의 생각을 바르게 말한 친구의 이름을 쓰세요.

서윤: 돈이 가장 중요하다고 생각하는 것 같아.

희수: 친구와의 우정이 가장 중요하다고 생각하는 것 같아.

수혁: 공부를 잘하는 것이 가장 중요하다고 생각하는 것 같아.

( )

[3~5] 다음 글을 읽고, 물음에 답하세요.

편식을 하면 안 되는 까닭에 대하여 알아보자.

첫째, ㉠편식을 하면 균형 있게 자라기 어렵다. 영양소는 여러 가지 음식에 골고루 들어 있으므로 음식을 골고루 먹어야 여러 가지 영양소를 섭취할 수 있고 건강해질 수 있다.

둘째, ㉡편식을 하면 비만이 되기 쉽다. 편식을 하는 친구들이 몸에 좋은 채소 등은 잘 먹지 않고 기름지고 설탕이 많이 들어간 음식을 좋아하다 보니 살이 찌게 되는 것이다.

㉢우리 모두 편식하는 습관을 버리고 음식을 골고루 먹어서 우리의 건강을 지키자.

3 이 글에서 글쓴이는 무엇을 하면 안 된다고 했나요? ( )

① 요리　　② 독서　　③ 편식

④ 게임　　⑤ 산책

4 ㉠~㉢을 글쓴이의 의견과 까닭으로 나누어 빈칸에 각각 기호를 쓰세요.

의견	까닭
(1)	(2)

5 이 글의 제목으로 알맞은 것에 ○표를 하세요.

(1) 잠을 일찍 자요　　　　　　( )

(2) 운동을 꾸준히 해요　　　　( )

(3) 음식을 골고루 먹어요　　　( )

[6~7] 다음 글을 읽고, 물음에 답하세요.

(가) 엄마는 ㉠욕실 문을 열어 봤지만, 꽃담이
가 없었어요. 감쪽같이 사라진 거예요.
　그때 낄낄낄 웃음소리가 들렸어요.
　"꽃담이는 내가 데려갔어요."
　초록 고양이가 말했어요.

(나) 커다란 ㉡동굴 안에 하얀 ㉢항아리들이
잔뜩 놓여 있었어요.

　"항아리는 모두 40개예
요. 저 가운데 하나에
꽃담이가 들어 있어요.
어느 항아리에 들어 있
는지 찾아보세요."

6 ㉠～㉢ 중 다음과 같은 뜻의 낱말은 무엇인
지 기호를 쓰세요.

> 흙으로 배가 불룩하게 빚어 구운 그릇.

（　　　　　）

7 다음은 꽃담이 엄마가 처한 상황에서 엄마
의 마음을 짐작해서 쓴 것이에요. 빈칸에 알
맞은 낱말을 보기 에서 골라 쓰세요.

> **보기**
>
> 자랑스러운　　　걱정스러운

> 　엄마는 사라진 꽃담이를 찾아야 하는
> 상황에서 　　　　　 마
> 음이 들었어요.

8 다음은 과학자들이 화성이 사람이 살 만한
곳이라고 보는 까닭을 쓴 것이에요. 알맞은
말을 골라 ○표를 하세요.

> 　화성에 물이 있기 때문이다. 비록 지구
> 처럼 바다가 있는 것은 아니지만, 북극처
> 럼 얼음 형태로 많은 물이 있어서 얼음을
> 녹이면 물을 얻을 수 있다.

　화성에 (물 , 불)이 있기 때문이다.

2주
평가

[9~10] 다음 글을 읽고, 물음에 답하세요.

(가) ■ 제품 이름
　　모발 지킴이 드라이어

(나) ■ 사용할 때의 주의 사항
　　– 사용한 다음에는 전원 플러그를 뽑
　　　아 주세요.
　　– 젖은 손으로 절대 사용하지 마세요.
　　– 물기가 많은 곳에서 사용하면 감전
　　　위험이 있어요.

9 이 글은 무엇의 사용 설명서인지 쓰세요.

（　　　　　）

10 이 글을 읽고 알 수 있는 드라이어를 사용할
때의 주의할 점으로 알맞지 않은 것에 ×표
를 하세요.

(1) 젖은 손으로 절대 사용하면 안 된다.

（　　　　　）

(2) 사용한 다음에는 전원 플러그를 뽑지
않고 그대로 둔다. （　　　　　）

창의

1 다음 만화를 읽고, 2주차에서 배운 낱말을 떠올려 어휘 퀴즈에 알맞은 낱말을 빈칸에 각각 쓰세요.

🐻 **어휘 퀴즈**

❶ '어느 한쪽으로 기울거나 치우치지 않고 고른 상태.'를 뜻하는 말은? →

❷ '꾸미거나 고친 것이 전혀 알아챌 수 없을 정도로 티가 나지 않게.'를 뜻하는 말은?

→

❸ '얼굴에 있던 흉터가 ○○도 없이 사라졌다.'의 빈칸에 들어갈 알맞은 말은?

→

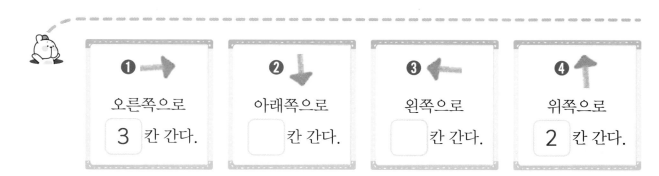

코딩
2 「옹고집전」에 나오는 옹고집이 자신의 죄를 뉘우치고 착하게 살기로 했어요. 옹고집이 한약과 닭을 사서 다시 집으로 돌아올 수 있도록 카드의 빈칸에 알맞은 숫자를 쓰세요.

어머니께 그동안 못한 효도를 하며 착하게 살아야겠어.
장터에 가서 어머니께 드릴 약을 먼저 사고 그다음
닭을 산 후에 집으로 돌아와야겠어.

융합
3 「드라이어 사용 설명서」에는 드라이어를 사용할 때의 주의 사항이 나와 있는데 희수가 주의
사항을 읽지 않고 사용하다가 고장이 났어요. 새로 드라이어를 사러 온 희수가 마음에 드는
드라이어를 사면 얼마가 남게 되는지 계산해서 숫자로 쓰세요.

41,000원

32,000원

30,000원

36,000원

보라색 드라이어가 마음에 드는군.
엄마께서 50,000원을 주셨는데 살 수
있겠다. 이번에는 사용 설명서를
잘 읽고 고장 나지 않게
잘 사용해야겠어.

희수

 희수가 가지고 있는 50,000원에서 보라색 드라이어의 가격인 30,000원을 빼
면, _____ 원이 남게 됩니다.

창의

4 용돈 기입장을 보고 알맞은 낱말에 ◯표를 하세요.

생활 어휘

알뜰살뜰 용돈 기입장

날짜	수입		지출		잔액
	내용	금액	내용	금액	
4월 1일	지난달 남은 돈	3,500			3,500
4월 1일	용돈	5,000			8,500
4월 2일			친구 생일 선물	1,000	7,500
4월 2일			스티커	600	6,900
4월 3일			저축	3,000	3,900
4월 4일	심부름값	500			4,400

오늘 엄마게 용돈 받았어!

그럼 용돈 기입장에 꼼꼼히 써 봐.

얘들아! 이건 용돈이 들어오고 나간 내용과 금액을 적는 용돈 기입장이야.

수입에는 (1)(들어온 , 나간) 돈을 적고, 지출에는 (2)(들어온 , 나간) 돈을 적는 거야.

수입에 적힌 돈은 더하고, 지출에 적힌 돈은 빼서 (3)(남은 , 부족한) 돈을 잔액에 적으면 돼.

참! 은행에 저축한 것도 내 용돈에서는 나간 돈이니까 지출에 적어야 하는 것 잊지 마.

어휘 풀이

▾ **기입장**|쓸 기 記, 들 입 入, 장막 장 帳| 적어 넣는 책이나 공책. 예 용돈 기입장을 새로 바꾸었다.

▾ **수입**|거둘 수 收, 들 입 入| 돈이나 물품 따위를 거두어들임. 또는 그 돈이나 물품.

  예 엄마는 수입의 반을 저축하신다.

▾ **지출**|지탱할 지 支, 날 출 出| 어떤 목적을 위하여 돈을 지급하는 일.

  예 군것질을 하는 데 쓰는 지출을 줄이기로 하였다.

▾ **잔액**|쇠잔할 잔 殘, 이마 액 額| 나머지 액수. 예 통장 잔액이 줄어들었다.

창의

5

생활 한자

病(병들 병) 자에 대해 알아보고, 다음 물음에 답하세요.

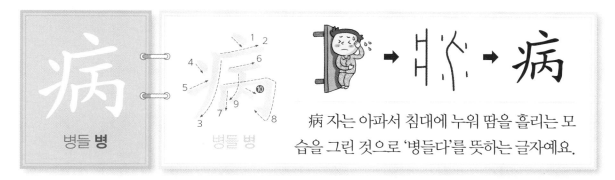

병들 병

병들 병

病 자는 아파서 침대에 누워 땀을 흘리는 모습을 그린 것으로 '병들다'를 뜻하는 글자예요.

(1) 病 자가 들어간 낱말을 알아보고, 한자의 음을 쓰세요.

① 친구가 입원한 병원에 病問安을 다녀왔다.

문　안

힌트
56쪽에서 공부한 '병환'에 쓰인 病(병들 병) 자에 대해 알아보아요.

② 어머니께서는 몸살에 걸린 나를 밤새 病看護해 주셨다.

간　호

(2) 한자 성어의 뜻을 알아보고, 빈칸에 알맞은 한자를 쓰세요.

同　病　相　憐

같을 **동**　병들 **병**　서로 **상**　불쌍히 여길 **련**

어려운 처지에 있는 사람끼리 서로 가엾게 여김을 이르는 말.

· 同 [　] 相 [　] 憐 (동병상련)이라고 나도 다리를 다쳐 보니 네 고통을 알겠어.

1-1 다음 문장에 넣을 바른 낱말을 골라 ◯표를 하세요.

제비는 왕자의 한쪽 눈에서 푸른 보석을 떼어, 산기슭의 (허약한 , 허름한) 다락방을 향해 날아갔습니다.

> **힌트**
> '허름하다'는 '좀 낡고 헌 듯하다.'를 뜻하고, '허약하다'는 '힘이나 기운이 없고 약하다.'를 뜻해요.

1-2 다음 문장의 밑줄 그은 낱말을 바르게 고친 것을 보기 에서 찾아 쓰세요.

한밤중이 되면 <u>허늠한</u> 빈집에 도깨비들이 모였습니다.

> **보기**
> 허름한
> 허르만

허 늠 한 ➡ ☐ ☐ ☐

▶ 정답 및 해설 20쪽

2-1 다음 문장의 빈칸에 알맞은 낱말을 골라 ○표를 하세요.

남측   북측

북한이 남한과 표준시를 맞춘 것은 남북 관계를 _____ 하겠다는 의지를 나타낸 것으로 볼 수 있다.

(1) 개선 (   )

(2) 개표 (   )

2-2 다음 안내문에서 밑줄 그은 낱말을 바르게 고쳐 쓰세요.

공사 중

체육관 시설을 <u>게선하는</u> 공사 중입니다.
불편을 드려 죄송합니다.

힌트

'잘못된 것이나 부족한 것, 나쁜 것 따위를 고쳐 더 좋게 만듦.'을 뜻하는 '개선'에는 모음자 'ㅐ'가 들어가요.

게 선 하는 ➡ ☐☐하는

이야기 (문학)

카시오페이아자리에 얽힌 전설

공부한 날   월   일

대상이 생겨나게 된 까닭을 찾아라!

옛날부터 전해 내려오는 이야기 중에

구체적인 장소나 사물이 증거물로 남아 있는 이야기가 있어요.

별자리에 얽힌 전설은 별자리가 그 증거물이 되겠지요?

카시오페이아자리는 어떻게 생겨났는지를 살피며 이야기를 읽어 보아요.

● 오늘 공부할 글의 사진을 미리 보고, 빈칸에 알맞은 낱말을 각각 찾아 쓰세요.

전설　　제물　　물리치는　　으스대던

자신과 딸이 바닷속 요정보다 더 예쁘다고 ❶ [　][　][　] 카시오페

┗ 어울리지 않게 우쭐거리며 뽐내던.

이아 왕비는 그 벌로 의자에 거꾸로 매달리게 되었고, 그 모습이 지금의 카시오페

이아자리가 되었다는 ❷ [　][　] 이 있어요.

┗ 옛날부터 민간에서 전해 내려오는 이야기.

북쪽 밤하늘의
별자리 알아보기

카시오페이아자리에 얽힌 전설

스스로 독해

카시오페이아자리 모양은 어떻게 생겨난 것일까요? 점선 부분을 따라 선을 그으며 그 까닭을 찾아 읽어 보세요.

북쪽 밤하늘에 있는 밝은 별들을 이으면 W(더블유) 자 모양이 되는 별자리가 있는데, 이를 카시오페이아자리라고 해. 이 별자리에는 재미있는 전설이 있어.

에티오피아에 카시오페이아 왕비가 살았어. 왕비는 자신과 딸이 바닷속 요정 네레이스보다 더 예쁘다고 사람들에게 자랑을 했지. 이를 듣고 화가 난 바다의 신 포세이돈은 에티오피아 앞바다에 고래 괴물을 보내 매일 폭풍을 일으켰어. 왕은 뜻밖의 일에 너무 놀라 신에게 도움을 청했어. 신은 딸 안드로메다 공주를 제물로 바치라고 했단다.

왕은 나라를 구하기 위해 딸을 제물로 바쳤어. 그런데 영웅 페르세우스가 바위에 묶여 있는 공주를 보고는 반해 버렸지. 마침내 페르세우스가 괴물을 물리치고 공주와 ㉠결혼했단다. 하지만 딸이 예쁘다고 ㉡으스대던 카시오페이아 왕비는 반나절 동안 의자에 앉혀진 채 하늘에 거꾸로 매달리는 벌을 받았어. 그 모습이 지금의 카시오페이아자리가 된 거야.

어휘 풀이

▾ **전설** | 전할 전 傳, 말씀 설 說 | 옛날부터 민간에서 전해 내려오는 이야기. 주로 입에서 입으로 전해지며 어떤 공동체나 자연물의 유래를 소재로 함. ㉮ 이 연못에는 산신령이 산다는 전설이 내려온다.

▾ **제물** | 제사 제 祭, 물건 물 物 | 제사 지낼 때 바치는 물건이나 짐승 따위.
   ㉮ 마을 사람들은 용의 제물이 될 사람을 누구로 정할지 의논하였다.

▾ **으스대던** 어울리지 않게 우쭐거리며 뽐내던. ㉮ 새 옷을 입고 으스대던 짝꿍이 얄미워 보였다.

1
어휘

다음 중 ㉠, ㉡과 뜻이 비슷한 낱말을 각각 골라 ○표를 하세요.

(1) | ㉠ '결혼' | 혼인 | 장례 | 언약 |

(2) | ㉡ '으스대다' | 화내다 | 뽐내다 | 질투하다 |

힌트
서로 바꾸어 쓸 수 있는
낱말을 찾아보아요.

2
이해

서술형

포세이돈이 화가 난 까닭은 무엇인지 쓰세요.

카시오페이아 왕비가 자신과 딸이 바닷속 요정 네레이스보다 _____

3
이해

스스로 독해 해결!

카시오페이아자리 모양은 어떤 모습에서 생겨난 것인가요? (   )

① 페르세우스가 괴물을 물리치는 모습
② 바위에 묶인 안드로메다 공주의 모습
③ 고래 괴물이 바다에 폭풍을 일으키는 모습
④ 안드로메다 공주가 고래 괴물에게 붙잡혀 가는 모습
⑤ 카시오페이아 왕비가 의자에 앉혀진 채 거꾸로 매달린 모습

4
요약

이 이야기의 내용을 정리하여 빈칸에 알맞은 낱말을 각각 쓰세요.

카시오페이아 왕비가 자신과 딸이 바닷속 요정 ❶
보다 더 예쁘다고 자랑을 하고 다녔다. → 카시오페이아 왕비는 반나절 동안
❷   에 앉혀진 채 하늘에 거꾸로 매달리는 벌을 받게 되었다. → 지
금의 카시오페이아자리가 되었다.

▶ 정답 및 해설 20쪽

1 다음 중 보기 의 밑줄 그은 낱말의 관계와 다른 것은 무엇인가요? (　　　　)

> **보기**
>
> 밝은 별 – 어두운 밤하늘

① 달다 – 쓰다

② 위 – 아래

③ 크다 – 작다

④ 가깝다 – 멀다

⑤ 앉다 – 내려가다

2 다음 밑줄 그은 낱말 '벌'과 관계있는 그림을 찾아 ◯표를 하세요.

왕비는 반나절 동안 의자에 앉혀진 채 하늘에 거꾸로 매달리는 벌을 받았어.

(1) (　　　　)　　　　(2) (　　　　)

힌트
형태는 같지만 뜻이 서로 다른 낱말이 있어요.

3 다음 낱말은 어떻게 만들어진 것인지 낱말의 짜임을 각각 쓰세요.

밤하늘

별자리

밤 + (1)　　　　　(2)　　　 + (3)

▶ 정답 및 해설 20쪽

● 카시오페이아자리 다섯 개의 별을 이으면 네 개의 선분과 세 개의 각을 만들 수 있어요. 보기 를 보고 카시오페이아자리에서 직각보다 작은 각에는 파란색, 직각보다 큰 각에는 빨간색을 표시하세요.

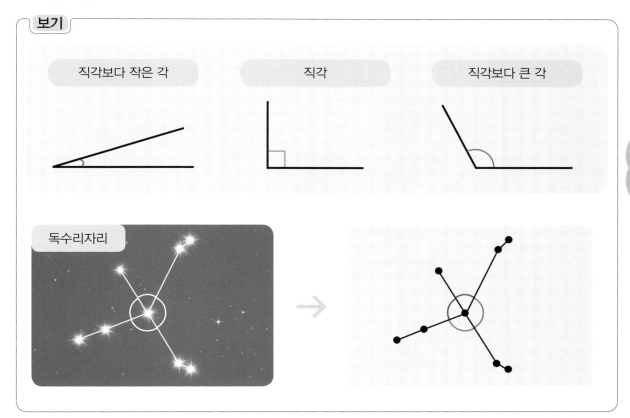

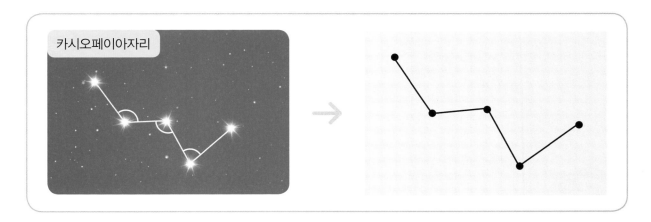

카시오페이아자리의 모양을 떠올리며 **카시오페이아자리가 이루는 각도**에서 직각보다 큰 각과 직각보다 작은 각을 구분해 봅니다.

지도에 쓰이는 기호

공부한 날　　　월　　　일

글에서 말하는 정보에 주의하라!

지도에 그려져 있는 많은 기호들은 무엇일까요?

기호의 종류와 그 의미에 주목하여 「지도에 쓰이는 기호」를 읽어 보세요.

또한 지도에서 이러한 기호를 사용하는 까닭은 무엇인지 함께 살펴보아요.

◉ 오늘 공부할 글과 그림을 미리 보고, 알맞은 낱말을 각각 찾아 표시하세요.

> 산이나 강, 건물들을 그림으로 그려 놓은 그림지도가 있어. 하지만 그림지도는 한눈에 알아보기 복잡해. 그래서 사람들은 기호를 만들었어. …… 기호를 이용하면 지도를 단순하게 그릴 수 있고, 한눈에 알아보기도 쉽지.

1 '어떠한 뜻을 나타내기 위하여 쓰이는 부호, 문자, 표지 따위를 통틀어 이르는 말.'을 뜻하는 낱말을 찾아 ◯표를 하세요.

2 '지구 표면의 상태를 일정한 비율로 줄여, 이를 약속된 기호로 평면에 나타낸 그림.'을 뜻하는 낱말을 찾아 △표를 하세요.

이건 무슨 건물을 나타내는 기호이게?

그림지도 그리는
방법 배워 보기

지도에 쓰이는 기호

스스로 독해

지도에서 기호를 사용하는 까닭은 무엇일까요? 점선 부분을 따라 선을 그으며 글을 읽고 답을 생각해 보세요.

산이나 강, 건물들을 그림으로 그려 놓은 그림지도가 있어. 하지만 그림지도는 한눈에 알아보기 복잡해. 그래서 사람들은 기호를 만들었어.

수학에서 '+'는 두 수를 더하라는 약속이고, '−'는 앞의 수에서 뒤의 수를 빼라는 약속이야. 또 신호등의 빨간색은 멈추라는 약속이고, 초록색은 움직이라는 약속이지. 이처럼 약속을 기호로 만들어 놓으면 긴 설명이 필요 없이 간단하게 문제를 ㉠해결할수있어.

지도에서도 이런 기호가 많이 사용된단다. 지도에 산을 그리기보다 간단하게 '▲'을 산이라고 약속했어. 지도에 ㉡산이있는것을 표시하려면 기호 '▲'을 그리면 되지. 건물들도 기호로 표시한단다. 시청(◎), 우체국(🐝), 학교(🚩) 등을 나타내는 기호를 만들고, 지도에 기호를 그려 넣었어. 기호를 이용하면 지도를 단순하게 그릴 수 있고, 한눈에 알아보기도 쉽지.

논	ㅛㅛ	경찰서	🦅	댐	▼
밭	ᣗᣗ	시청	◎	명승	∴
과수원	○○○	학교	🚩	우체국	🐝
공장	⚙	산	▲	병원	⊕

▲ 지도에 쓰이는 기호

어휘 풀이

▽ **기호**|기록할 기 記, 부르짖을 호 號| 어떠한 뜻을 나타내기 위하여 쓰이는 부호, 문자, 표지 따위를 통틀어 이르는 말. ⑩ 지도에 보물이 숨겨진 곳이 작은 기호로 표시되어 있었다.

▽ **지도**|땅 지 地, 그림 도 圖| 지구 표면의 상태를 일정한 비율로 줄여, 이를 약속된 기호로 평면에 나타낸 그림. ⑩ 세계 지도를 보니 우리나라가 매우 작게 느껴졌다.

1
문법

㉠과 ㉡을 띄어쓰기에 맞게 바르게 쓰세요.

(1) ㉠

해	결	할						.

(2) ㉡

산	이		있	는				

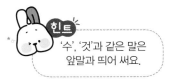

힌트
'수', '것'과 같은 말은
앞말과 띄어 써요.

2
이해

서술형

다음 신호등의 기호로 약속한 내용은 무엇인지 알맞은 말을 쓰세요.

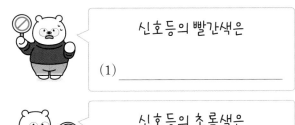

신호등의 빨간색은

(1) _____

신호등의 초록색은

(2) _____

3
이해

스스로 독해 해결!

지도에 약속한 기호를 사용하는 까닭을 두 가지 고르세요. (   )

① 한눈에 알아보기 쉽다.　　　② 지도를 단순하게 그릴 수 있다.
③ 지도를 특별하게 그릴 수 있다.　　④ 지도를 사진에 가깝게 그릴 수 있다.
⑤ 지도를 확대하여 그릴 수 있다.

4
요약

이 글의 내용을 정리하여 빈칸에 알맞은 말을 각각 쓰세요.

> 지도에서는 산이나 강, 건물 등을 ❶ _____ 로 그려 넣는데 기호를 사
>
> 용하면 지도를 단순하게 그릴 수 있고, ❷ _____ 에 알아보기 쉽다.

▶ 정답 및 해설 21쪽

1 다음 「지도에 쓰이는 기호」에 나온 낱말을 보고 뜻이 서로 반대인 낱말을 찾아 쓰세요.

뒤	빼다	멈추다	단순하다

(1) 앞 ⇔ _____   (2) 더하다 ⇔ _____

(3) 복잡하다 ⇔ _____   (4) 움직이다 ⇔ _____

2 다음 이어 주는 말의 쓰임을 보고 빈칸에 들어갈 이어 주는 말을 각각 찾아 선으로 이으세요.

> 그리고 앞의 내용과 뒤의 내용을 나란히 연결할 때 쓰는 말.
> 그래서 앞의 내용이 뒤의 내용의 원인이 될 때 쓰는 말.
> 그러나 앞의 내용과 뒤의 내용이 반대될 때 쓰는 말.

(1) 갑자기 세찬 비가 내렸다. _____ 찬바람도 불었다. •

• ①

(2) 내 생일잔치에 친구들을 초대하였다. _____ 아무도 오지 않았다. •

• ②

(3) 그림지도는 한눈에 알아보기 복잡하다. _____ 사람들은 기호를 만들었다. •

• ③

● 통신이 발달하기 이전에는 어떻게 신호를 주고받았을까요? 1837년에 모스라는 사람이 개발한 모스 부호라는 것이 있어요. 다음 모스 부호 해독표를 보고, 듬이가 받아 적은 네 개의 모스 부호 알파벳은 무엇인지 찾아 빈칸에 쓰세요.

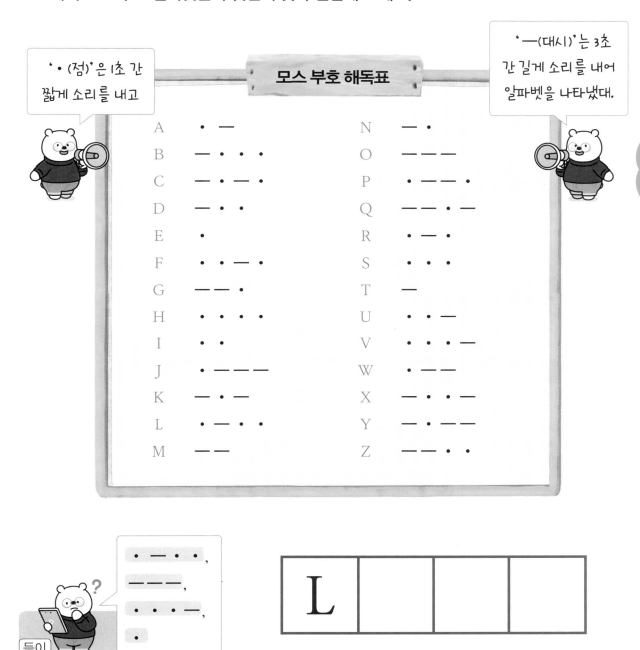

'•(점)'은 1초 간 짧게 소리를 내고

'—(대시)'는 3초 간 길게 소리를 내어 알파벳을 나타냈대.

모스 부호 해독표

A	• —		N	— •
B	— • • •		O	— — —
C	— • — •		P	• — — •
D	— • •		Q	— — • —
E	•		R	• — •
F	• • — •		S	• • •
G	— — •		T	—
H	• • • •		U	• • —
I	• •		V	• • • —
J	• — — —		W	• — —
K	— • —		X	— • • —
L	• — • •		Y	— • — —
M	— —		Z	— — • •

• — • •,
— — —,
• • —,
•

듬이

L			

「지도에서 쓰이는 기호」의 내용을 떠올리며, 과거에는 기호를 통신에 어떻게 활용했는지 **모스 부호 해독표**를 살펴보고 **해당 하는 알파벳**을 각각 찾아봅니다.

3단계-Ⓑ • **107**

행복한 왕자

공부한 날　　　월　　　일

인물의 성격을 알아보자!

「행복한 왕자」를 읽고 행복한 왕자의 성격을 알아볼까요?

이야기에서는 인물의 성격을 '착하다', '어리석다'와 같이

직접적으로 말하기도 하지만 그렇지 않기도 해요.

그럴 때에는 인물이 한 말과 행동에서 인물의 성격을 짐작해 볼 수 있어요.

● 오늘 공부할 글의 그림을 미리 보고, 빈칸에 알맞은 낱말을 보기 에서 각각 찾아 쓰세요.

보기

| 산기슭 | 다락방 | 조각상 |

❶

재료를 새기거나 깎아서 만든 형체.
㉠ 어느 도시의 한가운데에 '행복한 왕자'라고 불리는 ○○○이 있었다.

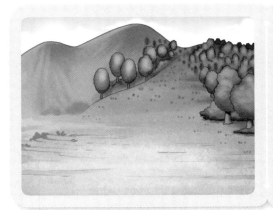

❷

산의 기울어진 부분이 끝나는 아랫부분.
㉠ ○○○에 쓰러져 가는 허름한 집 한 채가 있다.

❸

부엌 천장과 지붕 사이의 높은 곳에 살기 좋게 꾸민 방.
㉠ 허름한 ○○○에 혼자 사는 한 남자가 있었다.

「행복한 왕자」의
뒷이야기 듣기

행복한 왕자

오스카 와일드

스스로 독해

점선 부분을 따라 선을 그으며 읽어 보세요. 행복한 왕자의 성격이 잘 나타나 있는 부분이랍니다.

어느 도시의 한가운데에 '행복한 왕자'라고 불리는 조각상이 있었습니다. 마침 그곳을 지나던 제비 한 마리가 조각상의 두 발 사이에 앉았습니다.

"제비야, 내 부탁을 들어줄래? 여기서 조금만 가면, 병든 아이가 사는 집이 있어. 하지만 그 집은 너무 가난해서 아이에게 약을 지어 줄 수 없단다. 그러니 내 칼자루에 박힌 붉은 보석을 뽑아서 그 아이 엄마에게 가져다줄 수 있겠니?"

제비는 부리로 쪼아 왕자의 칼자루에서 커다란 보석을 뽑고 그것을 문 채 병든 아이가 사는 집으로 날아갔습니다.

다음 날 아침, 왕자는 제비에게 또 다시 부탁했습니다.

"제비야, 저쪽 산기슭의 허름한 다락방에 혼자 사는 한 남자가 있어. 그 남자는 돈이 없어서 며칠째 굶고 있단다. 지금 그는 너무 춥고 배가 고파서 곧 정신을 잃을 것 같아. 그러니 네가 내 눈에 박혀 있는 푸른 보석을 떼어 그 남자에게 가져다주렴."

제비는 왕자의 한쪽 눈에서 푸른 보석을 떼어, 산기슭의 허름한 다락방을 향해 날아갔습니다.

어휘 풀이

▼ **조각상** | 새길 조 彫, 새길 각 刻, 모양 상 像 | 재료를 새기거나 깎아서 만든 형체.

▼ **산** | 뫼 산 山 | **기슭** 산의 기울어진 부분이 끝나는 아랫부분. 예 산기슭에 풀꽃이 가득 피었다.

▼ **다락방** | 방 방 房 | 부엌 천장과 지붕 사이의 높은 곳에 살기 좋게 꾸민 방.

　예 내가 누워 있는 다락방까지 엄마의 기침 소리가 들렸다.

▶정답 및 해설 22쪽

1
이해

이 이야기에 등장하는 인물은 누구누구인지 쓰세요.

(1) _____

(2) _____

스스로 독해 해결!

2
유추

이 글에서 행복한 왕자의 성격은 어떠한가요? (   )

① 쌀쌀맞다.　　　② 게으르다.　　　③ 겁이 없다.
④ 욕심이 많다.　　⑤ 남을 잘 돕는다.

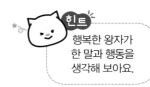

힌트
행복한 왕자가
한 말과 행동을
생각해 보아요.

서술형

3
이해

행복한 왕자가 제비에게 부탁한 것은 무엇인지 쓰세요.

> 병든 아이의 엄마에게 자신의 칼자루에 박힌 붉은 보석을 뽑아서 가져다
>
> 주라고 하였고, 며칠째 굶고 있는 남자에게 _____
>
> _____ 가져다주라고 하였다.

4
요약

이 이야기의 내용을 정리하여 빈칸에 알맞은 말을 각각 쓰세요.

> 　행복한 왕자는 불쌍하고 어려운 이웃을 돕기 위해 자신의 칼자루와 한쪽 눈
> 에 박힌 ❶ _____ 을 빼서 이웃에게 가져다주라고 ❷ _____ 에게 부
> 탁하였다.

3주
3일

1 다음 낱말의 짜임이 '한가운데'의 짜임과 <u>다른</u> 것은 무엇인가요? (   )

어느 도시의 <u>한가운데</u>에 '행복한 왕자'라고 불리는 조각상이 있었습니다.

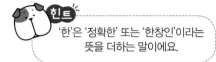

한가운데 ＝ 한 ＋ 가운데

① 한낮   ② 한밤   ③ 한여름   ④ 한라산   ⑤ 한겨울

힌트
'한'은 '정확한' 또는 '한창인'이라는 뜻을 더하는 말이에요.

2 다음 대상을 세는 낱말은 무엇인지 사다리를 따라 선을 이어 보고 빈칸에 알맞은 낱말을 쓰세요.

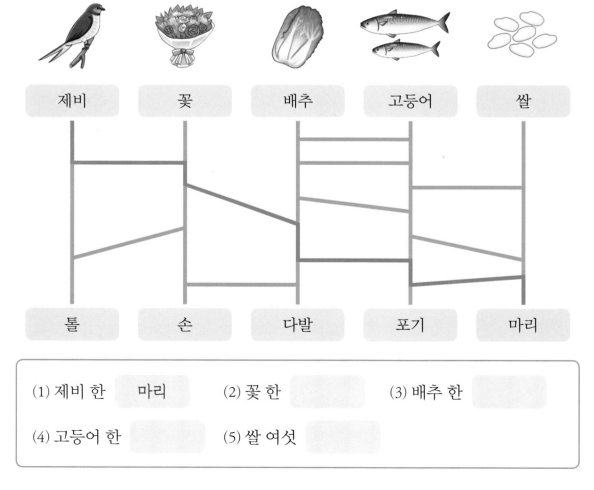

제비   꽃   배추   고등어   쌀

톨   손   다발   포기   마리

(1) 제비 한   마리   (2) 꽃 한   (3) 배추 한

(4) 고등어 한   (5) 쌀 여섯

◉ 행복한 왕자의 부탁대로 제비는 이웃에게 보석을 잘 전달했을까요? 제비가 보석을 가져다주어야 할 집을 찾아 ◯표를 하세요.

 「행복한 왕자」의 이야기를 떠올려 제비가 **붉은 보석을 가져다주어야 할 집**은 어디인지 찾아봅니다.

남북, 시간부터 '통일'했다

공부한 날   월   일

글의 제목에 주목하라!

「남북, 시간부터 '통일'했다」라는 제목은 무슨 뜻일까요?
글의 제목은 글쓴이가 글에서 말하고자 하는 내용을
가장 잘 보여 줘요.
글의 제목을 잘 살펴보고 제목에 담긴 의미를 글에서 찾아보아요.

● 오늘 공부할 글의 그림을 미리 보고, 빈칸에 알맞은 낱말을 보기 에서 각각 찾아 쓰세요.

보기

표준시   세계시   시차   회담

❶

세계 표준시를 기준으로 하여 정한 세계 각 지역의 시간 차이.
⑩ 남한과 북한 사이에는 30분의 ○○가 있었다.

3주
4일

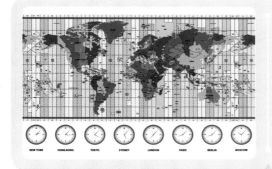

❷

각 나라나 각 지방에서 쓰는 표준 시각.
⑩ 우리나라는 일본과 같은 ○○○를 쓰고 있다.

❸

어떤 문제를 가지고 거기에 관련된 사람들이 한자리에 모여서 의견을 말함.
⑩ 남한과 북한의 정상이 모여 ○○을 가졌다.

표준시에 대하여
더 알아보기

남북, 시간부터 '통일'했다

스스로 독해

점선 부분을 따라 선을 그으며 읽어 보고 남한과 북한이 시간을 통일했다는 제목의 의미를 생각해 보아요.

남한과 북한이 '시간 통일'을 이루었다. 이전까지는 남북 간에 30분의 시차가 있었다. 북한의 ▼표준시가 남한보다 30분 늦기 때문이다.

남한과 북한의 시차가 나기 시작한 것은 2015년 8월 15일부터이다. 남한과 북한은 일본의 도쿄를 기준으로 ㉠같은 표준시를 쓰고 있었는데 북한이 2015년 8월 15일에 일본과 같은 표준시를 쓰지 않겠다며 평양 표준시를 ▼채택한 것이다. 이런 이유로 남한과 북한은 2015년 이후로 거의 3년 가까이 30분의 시차가 있어 왔다.

그런데 2018년 4월 27일 남북 정상 ▼회담에서 북한이 남한과 같은 표준시를 쓰겠다고 한 것이다. 북한이 남한과 표준시를 맞춘 것은 남북 관계를 개선하겠다는 의지를 나타낸 것으로 볼 수 있다.

남측 　　　　 북측

어휘 풀이

- ▼**시차** |때 시 時, 어그러질 차 差|　세계 표준시를 기준으로 하여 정한 세계 각 지역의 시간 차이.
    - ㉐ 외국에 전화를 걸 때에는 먼저 시차를 계산해 보아야 한다.
- ▼**표준시** |표 표 標, 법도 준 準, 때 시 時|　각 나라나 각 지방에서 쓰는 표준 시각. ㉐ 표준시를 30분 뒤로 맞추었다.
- ▼**채택** |캘 채 採, 가릴 택 擇|　작품, 의견, 제도 따위를 골라서 다루거나 뽑아 씀.
- ▼**회담** |모일 회 會, 말씀 담 談|　어떤 문제를 가지고 거기에 관련된 사람들이 한자리에 모여서 의견을 말함.
    - ㉐ 한국과 미국을 대표하는 의원들이 모이는 회담을 열었다.

1
어휘

㉠ '같은'과 뜻이 반대인 낱말은 무엇인가요? (   )

① 옳은   ② 맞은   ③ 틀린
④ 다른   ⑤ 비슷한

힌트
'같다'는 '서로 다르지 않고 하나이다.'라는 뜻이에요.

2
이해

남한과 북한 사이에 시차가 생기게 된 까닭은 무엇인지 빈칸에 알맞은 말을 각각 쓰세요.

북한이 ❶ [   ] 과 같은 표준시를 쓰지 않겠다며 ❷ [   ] 표준시를 채택했기 때문이다.

평양   서울

3주
4일

스스로 독해 해결! 서술형
3
이해

북한이 남한과 같은 표준시를 쓰겠다고 한 것이 무엇을 뜻하는지 쓰세요.

북한이 남한과 표준시를 맞춘 것은 _____

_____를 나타낸 것이다.

4
요약

이 글의 내용을 정리하여 빈칸에 알맞은 낱말을 각각 쓰세요.

일어난 일	2018년 4월 27일 남북 정상 회담으로 이전에 있었던 남한과 북한의 ❶ [ ] 가 사라졌다.
그 안에 담긴 뜻	북한이 남한과의 관계를 ❷ [ ] 하겠다는 의지를 나타낸 것이다.

1 빈칸에 공통으로 들어갈 낱말을 찾아 ◯표를 하세요.

> • 한국의 　　　는 서울이다.　　• 일본의 　　　는 도쿄이다.

(국기 , 수도 , 국내)

힌트
한 나라의 중앙 정부가 있는 도시를
무엇이라고 하는지 생각해 보아요.

2 다음 밑줄 그은 낱말과 뜻이 반대되는 낱말로 빈칸에 들어갈 말을 보기 에서 찾아 쓰세요.

보기

> 짧다　　　길다　　　이르다　　　급하다

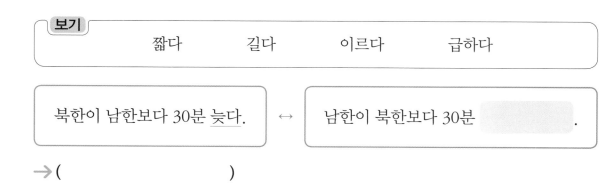

북한이 남한보다 30분 <u>늦다</u>. ↔ 남한이 북한보다 30분 　　　.

→ (　　　　　　　)

3 '남북 정상 회담'에서 밑줄 그은 낱말의 뜻으로 알맞은 것을 찾아 ◯표를 하세요.

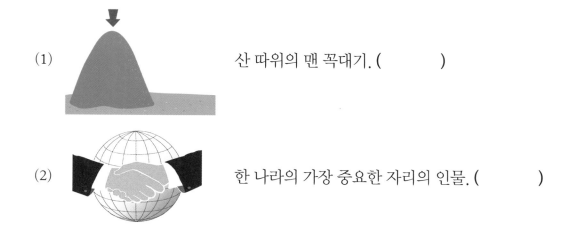

(1) 산 따위의 맨 꼭대기. (　　　)

(2) 한 나라의 가장 중요한 자리의 인물. (　　　)

○ 각 나라의 표준시는 어떻게 정해질까요? 다음 그림에서 남자아이의 설명을 잘 읽고,
선생님의 물음에 대한 답을 시계에 그려 보세요.

빨간 점이 보이시죠? 이곳은
영국의 그리니치 천문대로,
세계 시간의 기준이 됩니다.
이 노란색 칸을 기준으로 오른쪽
으로 한 칸씩 이동할수록 표준시는
한 시간씩 늘어납니다.

그럼, 영국이 오후 1시라면
분홍색 칸에 있는
우리나라는 몇 시일까요?

영국이 오후 ( ) 라면 우리나라는 오후 ( ) 이에요.

 세계 각 나라의 표준시가 달라지는 원리를 살펴보고, **영국의 시간을 기준으로 우리나라의 시간**을 따져 봅니다.

놀이공원의 안내 방송

공부한 날   월   일

필요한 정보에 귀 기울여라!

안내 방송을 들을 때에는 전체 내용을 집중해서 듣는 것이 아니라
자신에게 필요한 내용에 집중해서 귀를 기울여야 해요.
듣는 목적에 따라 중요한 정보는 다를 수 있다는 것을 꼭 기억해요.

● 오늘 공부할 글의 그림을 미리 보고, 빈칸에 알맞은 낱말을 각각 찾아 쓰세요.

행사	강의	안내

놀이공원의 ❶ ☐☐
　　↳ 어떤 내용을 소개하여 알려 줌. 또는 그런 일.

알아 둘 내용과 ❷ ☐☐

방송을 주의 깊게 들으면 놀이공원을 이용할 때에

시간에 대한 정보 등을 얻을 수 있어요.
　　↳ 어떤 일을 실지로 행함. 또는 그 일.

안내 방송을 듣는 목적을 생각하며 들어 볼까요?

롤러코스터의
비밀 알아보기

놀이공원의 안내 방송

스스로 독해

놀이공원 행사에 참여하고 싶다면 안내 방송을 들을 때 주의 깊게 들어야 할 내용은 무엇일까요? 점선 부분을 따라 선을 그으며 글을 읽어 보세요.

놀이공원을 이용하실 때 알아 둘 점과 행사 시간에 대하여 안내해 드리겠습니다. 지금 우리 공원은 튤립 페스티벌이 한창입니다. 아름다운 튤립을 감상하고 싶으신 분들은 놀이공원 남문에 있는 '튤립 가든'을 방문해 주십시오. '튤립 가든' 내에 반려동물의 입장은 금지되어 있으므로 이해 부탁드립니다.

오후 두 시부터는 놀이공원 중앙 광장에서 여러 나라의 의상 퍼레이드를 시작합니다. 30여 개 나라의 알록달록한 의상을 한자리에서 만나 볼 수 있으니 기념사진도 많이 찍으시기 바랍니다.

이어서 오후 네 시부터는 놀이공원 정문 분수대에서 무료 캐리커처 그리기 이벤트를 진행하오니 많은 참여 부탁드립니다.

놀이공원을 이용하시면서 불편하거나 궁금한 점이 있으시면 안내소를 찾아 주십시오. 이상 안내 방송을 　　ㄱ

어휘 풀이

▼ **행사**|다닐 행 行, 일 사 事| 　어떤 일을 실지로 행함. 또는 그 일.
　　예 비가 오면 **행사**를 취소하겠다고 한다.
▼ **안내**|책상 안 案, 안 내 內| 　어떤 내용을 소개하여 알려 줌. 또는 그런 일. 예 점원이 상품 **안내**를 해 주었다.
▼ **안내소**|책상 안 案, 안 내 內, 바 소 所| 　어떤 사물이나 장소에 설치되어 그 사물이나 장소를 소개하여 알려 주는 일을 맡아 하는 곳. 예 **안내소**에 찾아가서 기차 타는 곳을 물었다.

1
어휘

다음 그림을 참고하여 안에 들어갈 알맞은 말을 찾아 ◯표를 하세요.

학교를 **마치다**. 　　　　정답을 **맞히다**.

(1) 마치겠습니다. (　　　　)　　　　(2) 맞히겠습니다. (　　　　)

힌트
'마치다'는 '어떤 일이나 과정, 절차 따위가 끝나다.',
'맞히다'는 '문제에 대한 답을 틀리지 않게 하다.'는
뜻이에요.

3주
5일

2
이해

서술형

도기가 언제 어디로 가면 좋을지 안내해 주는 말을 쓰세요.

나는 각 나라의 의상이 어떻게
다른지 무척 보고 싶어!

도기

오후 ＿＿＿＿＿＿＿＿＿＿＿
＿＿＿＿＿＿＿＿＿＿(으)로 가 봐.

3
요약

스스로 독해 해결!

안내 방송을 듣고 참여할 행사를 고르기 위해 다음과 같이 요약하였습니다. 빈칸
에 알맞은 내용을 각각 쓰세요.

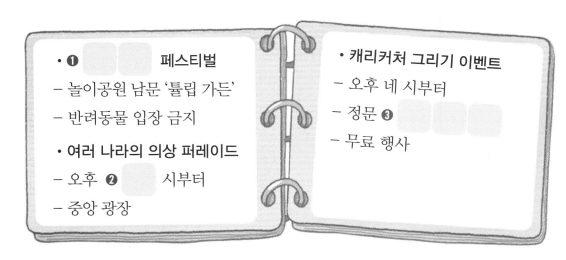

- ❶ ☐ ☐ 　페스티벌
  - 놀이공원 남문 '튤립 가든'
  - 반려동물 입장 금지
- **여러 나라의 의상 퍼레이드**
  - 오후 ❷ ☐ 시부터
  - 중앙 광장

- **캐리커처 그리기 이벤트**
  - 오후 네 시부터
  - 정문 ❸ ☐ ☐ ☐
  - 무료 행사

1 다음 내용을 읽고 빈칸에 들어갈 말을 쓰세요.

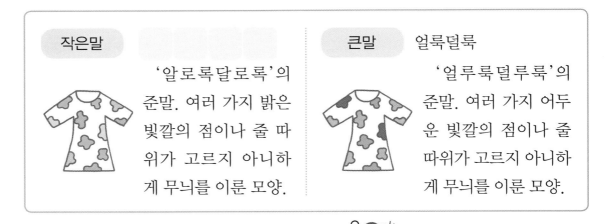

작은말		큰말	얼룩덜룩
	'알로록달로록'의 준말. 여러 가지 밝은 빛깔의 점이나 줄 따위가 고르지 아니하게 무늬를 이룬 모양.		'얼루룩덜루룩'의 준말. 여러 가지 어두운 빛깔의 점이나 줄 따위가 고르지 아니하게 무늬를 이룬 모양.

힌트
작은말은 큰말과 뜻은 같지만 표현상의 느낌이
작고, 가볍고, 밝게 들리는 말을 말해요.

2 다음 보기 를 보고 빈칸에 알맞은 낱말을 각각 쓰세요.

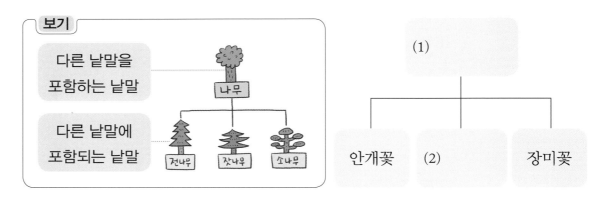

보기

다른 낱말을 포함하는 낱말 ············ 나무

다른 낱말에 포함되는 낱말 ············ 전나무 잣나무 소나무

(1)

안개꽃   (2)   장미꽃

3 다음 낱말 중 우리말로 바르게 고쳐 써야 할 낱말을 모두 골라 쓰세요.

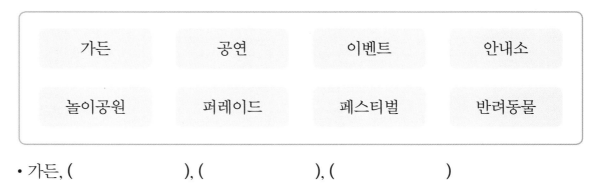

가든	공연	이벤트	안내소
놀이공원	퍼레이드	페스티벌	반려동물

• 가든, (   ), (   ), (   )

◉ 튤립의 꽃, 잎, 뿌리의 모양에 얽힌 이야기가 있어요. 다음 만화를 보고 (   ) 안에 알맞은 낱말을 쓰세요.

 튤립은 소녀에게 청혼한 세 남자가 바치겠다고 한 물건과 닮았어요. 튤립의 꽃은
(1) (   ) 같고, 잎은 (2) (   ) 같고, 뿌리는 (3) (   )
같은 모습이랍니다.

「놀이공원의 안내 방송」에 나오는 아름다운 튤립의 모습을 떠올리며, **튤립에 얽힌 전설**을 읽어 봅니다.

[1~3] 다음 글을 읽고, 물음에 답하세요.

㉮ 에티오피아에 카시오페이아 왕비가 살았어. 왕비는 자신과 딸이 바닷속 요정 네레이스보다 더 예쁘다고 사람들에게 자랑을 했지. 이를 듣고 화가 난 바다의 신 포세이돈은 에티오피아 앞바다에 고래 괴물을 보내 ㉠매일 폭풍을 일으켰어.

㉯ 왕은 나라를 구하기 위해 딸을 제물로 바쳤어. 그런데 영웅 페르세우스가 바위에 묶여 있는 공주를 보고는 반해 버렸지. 마침내 페르세우스가 괴물을 물리치고 공주와 결혼했단다. 하지만 딸이 예쁘다고 으스대던 카시오페이아 왕비는 반나절 동안 의자에 앉혀진 채 하늘에 거꾸로 매달리는 벌을 받았어. 그 모습이 지금의 카시오페이아자리가 된 거야.

1 다음은 누가 한 행동인가요? (   )

> 자신과 딸이 바닷속 요정 네레이스보다 더 예쁘다고 사람들에게 자랑했다.

① 포세이돈　　　② 에티오피아의 왕
③ 페르세우스　　④ 에티오피아의 공주
⑤ 카시오페이아 왕비

2 카시오페이아 왕비가 벌을 받는 모습에서 생겨난 것은 무엇인지 쓰세요.

(   )

3 ㉠'매일'과 바꾸어 쓸 수 있는 낱말은 무엇인가요? (   )

① 가끔　　　② 날마다　　③ 해마다
④ 온종일　　⑤ 다음 날

[4~5] 다음 글을 읽고, 물음에 답하세요.

지도에서도 이런 기호가 많이 사용된단다. 지도에 산을 그리기보다 간단하게 '▲'을 산이라고 약속했어. 지도에 산이 있는 것을 표시하려면 기호 '▲'을 그리면 되지. 건물들도 기호로 표시한단다. 시청(◎), 우체국(✉), 학교(⚐) 등을 나타내는 기호를 만들고, 지도에 기호를 그려 넣었어. 기호를 이용하면 지도를 단순하게 그릴 수 있고, 한눈에 알아보기도 쉽지.

4 지도에서 다음 기호가 나타내는 것을 찾아 선으로 이으세요.

(1) ▲　·　　　　·　① 산
(2) ◎　·　　　　·　② 학교
(3) ✉　·　　　　·　③ 시청
(4) ⚐　·　　　　·　④ 우체국

5 지도에서 기호를 사용하면 좋은 점을 <u>잘못</u> 말한 친구의 이름을 쓰세요.

> 예랑: 지도를 한눈에 알아보기 쉬워.
> 하준: 지도를 단순하게 그릴 수 있어.
> 원우: 지도를 편하게 들고 다닐 수 있어.

(   )

▶정답 및 해설 24쪽

[6~7] 다음 글을 읽고, 물음에 답하세요.

어느 도시의 한가운데에 '행복한 왕자'라고 불리는 조각상이 있었습니다. 마침 그곳을 지나던 제비 한 마리가 조각상의 두 발 사이에 앉았습니다.

"제비야, 내 부탁을 들어줄래? 여기서 조금만 가면, 병든 아이가 사는 집이 있어. 하지만 그 집은 너무 가난해서 아이에게 약을 지어 줄 수 없단다. 그러니 내 칼자루에 박힌 붉은 보석을 뽑아서 그 아이 엄마에게 가져다줄 수 있겠니?"

제비는 부리로 쪼아 왕자의 칼자루에서 커다란 보석을 뽑고 그것을 문 채 병든 아이가 사는 집으로 날아갔습니다.

6 행복한 왕자는 병든 아이가 사는 집에 무엇을 가져다주라고 제비에게 부탁했나요? 알맞은 낱말을 빈칸에 쓰세요.

• 자신의 칼자루에 박힌 붉은

7 이 글에서 제비의 성격은 어떠한지 알맞은 것을 두 가지 고르세요. (   )

① 겁이 많다.   ② 잘난 체한다.

③ 화를 잘 낸다.   ④ 마음이 따뜻하다.

⑤ 부탁을 잘 들어준다.

[8~9] 다음 글을 읽고, 물음에 답하세요.

㈎ 남한과 북한이 '시간 통일'을 이루었다. 이전까지는 남북 간에 30분의 시차가 있었다. 북한의 표준시가 남한보다 30분 늦기 때문이다.

㈏ 그런데 2018년 4월 27일 남북 ㉠정상 회담에서 북한이 남한과 같은 표준시를 쓰겠다고 한 것이다. 북한이 남한과 표준시를 맞춘 것은 남북 관계를 개선하겠다는 의지를 나타낸 것으로 볼 수 있다.

8 글쓴이가 말하고자 하는 내용을 보여 주는 제목으로 알맞은 것에 ○표를 하세요.

(1) 남북 정상 회담 열리다   (   )

(2) 남북, 시간부터 '통일'했다   (   )

(3) 남북이 표준시가 다른 까닭   (   )

9 밑줄 그은 낱말이 ㉠'정상'과 같은 뜻으로 쓰인 문장에 ○표를 하세요.

(1) 산 정상에 오르니 상쾌했다. (   )

(2) 두 나라 정상이 악수를 했다. (   )

10 다음 안내 방송을 듣고 알 수 있는 정보를 모두 고르세요. (   )

오후 네 시부터는 놀이공원 정문 분수대에서 무료 캐리커처 그리기 이벤트를 진행하오니 많은 참여 부탁드립니다.

① 행사 시간   ② 행사 내용

③ 주의 사항   ④ 행사 장소

⑤ 행사 참여 방법

창의

1 다음 만화를 읽고, 3주차에서 배운 낱말을 떠올려 어휘 퀴즈에 알맞은 낱말을 빈칸에 각각 쓰세요.

🐻 어휘 퀴즈

❶ '여러 요소를 서로 같거나 일치되게 맞춤.'을 뜻하는 말은? →

❷ '옛날부터 민간에서 전해 내려오는 이야기. 주로 입에서 입으로 전해지며 어떤 공동체나 자연물의 유래를 소재로 함.'을 뜻하는 말은? →

❸ '마을 축제에 많은 주민들이 ○○했다.'의 빈칸에 들어갈 알맞은 말은? →

코딩

2 페르세우스가 제물로 바쳐진 안드로메다 공주를 구하러 가요. 고래 괴물을 물리친 후 공주에게 갈 수 있도록 알맞은 코딩 명령을 골라 ◯표를 하세요.

(1) (　창의·융합·코딩　)

(2) (　　　　)

융합

3 은결이네 가족이 놀이공원의 튤립 가든에 왔어요. 다음 그림을 보고, 은결이가 얼마 동안 튤립 가든을 방문했는지 빈칸에 각각 알맞은 숫자를 쓰세요.

우아, 튤립이 정말 예뻐요.

은결

이제 여러 나라의 의상 퍼레이드를 보러 가요!

나가는 곳

튤립 가든에 들어간 시간은 (1)　　　　시　　　　　　　분이고, 튤립 가든에서 나온 시간은 (2)　　　　시　　　　　　　분이므로 은결이는 튤립 가든을 (3)　　　　시간 분 동안 방문했어요.

창의 4

생활 어휘

다음 장난감 사용 시 주의 사항을 읽고 알맞은 말에 ◯표를 하세요.

장난감을 사용할 때 주의할 점을 알리는 글이네.

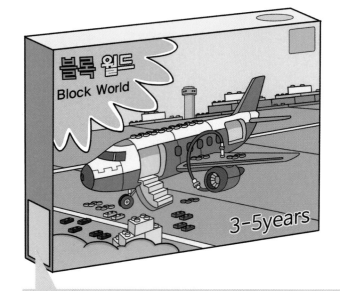

블록 월드
Block World

3-5years

장난감에 뭐가 포함됐다는 거지? 무슨 위험이 있다는 거야?

장난감 사용 시 주의 사항

• 작은 부품이 포함되어 있습니다. 입 안에 절대 넣지 말아 주세요. 질식의 위험이 있습니다.

• 잘못 삼킬 위험이 있으므로, 3세 미만의 어린이들이 만지지 못하도록 주의해 주세요.

애들아, 부품은 장난감에 들어간 (1) (물품 , 사진)이야. 그런데 그것을 입 안에 넣었다가는 (2) (혀가 데일 , 숨을 못 쉴) 위험이 있으니까 입 안에 절대 넣지 말라고 써 놓은 거야. 세 살이 (3) (넘는 , 안 되는) 어린이들은 만지지 못하게 하라니까 너희는 만져도 되겠다.

어휘 풀이

▼ **부품** | 나눌 부 部, 물건 품 品 | 기계 따위의 어떤 부분에 쓰는 물품.

▼ **포함** | 쌀 포 包, 머금을 함 含 | 어떤 사물이나 현상 가운데 함께 들어 있거나 함께 넣음.

▼ **질식** | 막을 질 窒, 숨 쉴 식 息 | 숨통이 막히거나 산소가 부족하여 숨을 쉴 수 없게 됨.
  ㉠ 화재가 발생하면 연기에 질식하는 경우가 많다.

▼ **미만** | 아닐 미 未, 찰 만 滿 | 정한 수효나 정도에 차지 못함. 또는 그런 상태. 기준이 수량으로 제시될 경우에는, 그 수량이 범위에 포함되지 않으면서 그 아래인 경우를 가리킨다. ㉠ 9는 10 미만의 수이다.

▶ 정답 및 해설 25쪽

창의
5
생활 한자

所(바 소) 자에 대해 알아보고, 다음 물음에 답하세요.

所 자는 '지게'와 '도끼'의 모양을 그린 것이었지만 지금은 '장소', '자리'를 뜻하는 글자예요.

(1) 所 자가 들어간 낱말을 알아보고, 한자의 음을 쓰세요.

① 지난 주말 가족과 함께 영화 촬영 場所에 다녀왔다.

장 [　　]

힌트
122쪽에서 공부한 '안내소'에 쓰인 所(바 소) 자에 대해 알아봐요.

② 짝꿍 소현이가 다른 친구들에게 내 비밀을 所聞냈다.

문 [　　]

(2) 한자 성어의 뜻을 알아보고, 빈칸에 알맞은 한자를 쓰세요.

우아! 드디어 제주도에 왔다!

所 願 成 就
바 소 원할 원 이룰 성 나아갈 취

바라고 원하던 바를 얻거나 이룸.

• 제주도에 꼭 가고 싶었는데, 드디어 [　] 願 成 就 (소원 성취)를 했다.

4주에는 무엇을 공부할까? ❷

1-1 밑줄 그은 낱말의 뜻으로 알맞은 것에 ○표를 하세요.

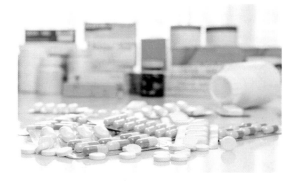

약을 이렇게 안전하게 버려야 하는 이유는 생각 없이 버린 약들이 <u>생태계</u>를 위협할 수 있기 때문이에요.

(1) 눈으로 볼 수 없는 아주 작은 생물.   (   )

(2) 일정한 지역이나 환경에서 여러 생물들이 서로 적응하고 관계를 맺으며 어우러진 자연의 세계.   (   )

1-2 친구가 쓴 문장 에서 밑줄 그은 낱말을 바르게 고쳐 쓰세요.

친구가 쓴 문장

> 인간의 욕심으로 <u>생태개</u>가 파괴되고 있어요.

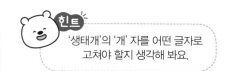

힌트

'생태개'의 '개' 자를 어떤 글자로 고쳐야 할지 생각해 봐요.

▶ 정답 및 해설 26쪽

2-1 다음 보기 의 뜻을 지닌 낱말을 골라 ○표를 하세요.

> 보기
>
> 무엇을 이루기 위하여 애쓰는 노력과 정성을 빗대어 이르는 말.

남자: 안녕하세요? 불쌍한 사람들을 위해서 기부 좀 하십시오.

스크루지: (화를 내며) 이봐요! 내가 (피곤 , 피땀) 흘려 번 돈을 왜 남에게 줍니까?

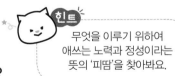
힌트
무엇을 이루기 위하여 애쓰는 노력과 정성이라는 뜻의 '피땀'을 찾아봐요.

2-2 밑줄 그은 낱말을 바르게 사용한 문장을 찾아 기호를 쓰세요.

> ㉠ 지아는 피땀이 흘러 신나게 노래를 불렀다.
>
> ㉡ 동수는 피땀이 몰려와 앉아 있을 수가 없었다.
>
> ㉢ 아버지께서는 피땀 흘려 모은 재산을 기부금으로 내놓으셨다.

(   )

파랑새

이야기 속 인물의 마음을 헤아려 보자!

이야기 「파랑새」를 읽고, 등장하는 인물의 마음을 헤아려 봐요.
치르치르와 미치르가 한 일이나 겪은 일, 생각, 말이나 행동을 살펴보면
마음을 짐작할 수 있어요.

● 오늘 공부할 글과 그림을 미리 보고, 알맞은 낱말을 각각 찾아 표시하세요.

두 사람은 빛의 요정의 도움을 받으며 추억의 나라와 밤의 궁전, 행복의 궁전, 미래의 나라 등 여러 곳을 여행하며 많은 사람을 만났습니다. 하지만 어디에서도 파랑새를 찾을 수 없었습니다.

"우리 잠꾸러기들, 무서운 꿈을 꾸었나 보구나. 어서 일어나야지?"

1 '지나간 일을 돌이켜 생각함. 또는 그런 생각이나 일.'이라는 뜻의 낱말을 찾아 ○표를 하세요.

2 '잠이 아주 많은 사람을 놀리듯이 이르는 말.'이라는 뜻의 낱말을 찾아 △표를 하세요.

파랑새

마테를링크

스스로 독해

파랑새를 찾은 치르치르와 미치르의 마음은 어떠할까요? 점선 부분을 따라 선을 그으며 읽고 인물의 마음을 짐작해 보세요.

앞 이야기

치르치르와 미치르는 옆집 할머니의 부탁으로 파랑새를 찾아 여행을 떠났습니다. 두 사람은 빛의 요정의 도움을 받으며 추억의 나라와 밤의 궁전, 행복의 궁전, 미래의 나라 등 여러 곳을 여행하며 많은 사람을 만났습니다. 하지만 어디에서도 파랑새를 찾을 수 없었습니다.

"우리 잠꾸러기들, 무서운 꿈을 꾸었나 보구나. 어서 일어나야지?"

그때, 치르치르와 미치르의 방으로 옆집 할머니께서 들어오셨습니다.

"할머니, 죄송해요. 파랑새를 찾지 못했어요."

"파랑새는 바로 네 침대 옆에 있잖니."

할머니께서는 치르치르가 기르던 새를 가리켰습니다.

㉠"우리가 그렇게 찾아 헤매던 파랑새가 바로 옆에 있었네."

치르치르와 미치르는 아픈 딸에게 갖다 주라며 파랑새를 할머니에게 주었습니다. 치르치르와 미치르는 서로 마주 보며 기쁘게 웃었습니다.

어휘 풀이

▾ **추억**|쫓을 추 追, 생각할 억 憶| 지나간 일을 돌이켜 생각함. 또는 그런 생각이나 일.

　예 초등학교에 입학하던 때의 추억이 떠올랐다.

▾ **잠꾸러기** 잠이 아주 많은 사람을 놀리듯이 이르는 말. 예 잠꾸러기 내 동생은 지각을 많이 해요.

1 치르치르와 미치르가 파랑새를 찾기 위해 다닌 장소가 <u>아닌</u> 곳은 어디인가요?

이해

(   )

① 밤의 궁전   ② 추억의 나라   ③ 행복의 궁전
④ 미래의 나라   ⑤ 아픔의 궁전

2 다음 문장의 밑줄 그은 부분을 할머니를 높이는 표현으로 고쳐 쓰세요.

문법

 아이들은 파랑새를 할머니<u>에게 주었습니다.</u>

→ 아이들은 파랑새를 할머니_____.

3

유추

스스로 독해 해결! 서술형

㉠에서 느껴지는 치르치르와 미치르의 마음을 짐작하여 쓰세요.

파랑새를 찾아서 _____

힌트
치르치르와 미치르가 처한 상황과 한 말 등을
살펴보면 마음을 짐작할 수 있어요.

4 이 글에서 일어난 일을 정리하여 빈칸에 알맞은 말을 각각 쓰세요.

요약

     치르치르와 미치르는 ❶ _____ 를 찾아 여러 곳을 여행하였지만 어디에서도 파랑새를 찾을 수 없었다. 그런데 잠에서 깬 아이들은 그렇게 찾아 헤매던 파랑새가 자신들의 방에 있었다는 것을 알게 되었다. 아이들은 아픈 딸에게 갖다 주라며 파랑새를 옆집 ❷ 께 드리고 기쁘게 웃었다.

4주
1일

▶ 정답 및 해설 26쪽

1 다음 낱말의 뜻을 읽고, 빈칸에 들어갈 알맞은 낱말을 각각 선으로 이으세요.

가르치다	가리키다

지식이나 기능, 이치 따위를 깨닫게 하거나 익히게 하다.	손가락 따위로 어떤 방향이나 대상을 집어서 보이거나 말하거나 알리다.

(1) 할머니께서 치르치르가 기르던 새를 _____.　　•

•　① 가르쳤다

(2) 선생님께서 아이들에게 국어를 _____.　　•

•　② 가리켰다

힌트
동생이 문제를 가리키며 답을 물어봤는데, 답을 가르쳐 주고 싶었지만 나도 모르는 문제였어요.

2 '−꾸러기'의 뜻을 살펴보고, 다음 빈칸에 알맞은 낱말을 각각 쓰세요.

−꾸러기 다른 말 뒤에 붙어 '그것이 심하거나 많은 사람'의 뜻을 더하는 말.

 장난꾸러기	 (2) _____꾸러기
(1) _____이 심한 아이. 또는 그런 사람.	늘 걱정이 많은 사람을 낮잡아 이르는 말.

◎ 치르치르와 미치르는 파랑새를 찾기 위해 여행을 하고 있어요. 맞춤법이 알맞은 낱말이 쓰인 표지판을 따라가서 파랑새를 찾아보세요.

「파랑새」의 내용을 떠올려 보고, 글에 쓰인 **낱말의 바른 표기**를 익혀 봅니다.

먹다 남은 약은 어디에 버려야 할까요?

공부한 날   월   일

글에서 필요한 정보를 찾아 읽자!

알고 싶은 내용이 무엇인지 생각하며

「먹다 남은 약은 어디에 버려야 할까요?」를 읽어 봐요.

글의 제목과 글에 실린 사진 등을 보고 자신에게 필요한 정보가 있는지 알아보고,

알고 싶었던 내용에 밑줄을 그으며 글을 읽어 보면 된답니다.

● 오늘 공부할 글의 사진을 미리 보고, 빈칸에 알맞은 낱말을 보기 에서 각각 찾아 쓰세요.

보기

| 오염 | 약국 | 유통 기한 | 불량 식품 | 하천 |

❶

주로 식품 따위의 상품에 정해 놓은 팔 수 있는 기한.

예 ○○ ○○이 지났거나 먹다 남은 약은 약국이나 보건소에 설치된 수거함에 버려야 해요.

4주
2일

❷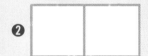

강과 시내를 아울러 이르는 말.

예 ○○이나 땅속에 스며든 약 성분이 우리가 마시는 물로 돌아오면 문제는 더욱 심각해져요.

❸

더럽게 물듦. 또는 더럽게 물들게 함.

예 도시의 하천일수록 약물에 의한 ○○이 심하다.

약에 대해
자세히 알아보기

먹다 남은 약은 어디에 버려야 할까요?

스스로 독해

먹다 남은 약은 어디에 버려야 할까요? 점선 부분을 따라 선을 그으며 답을 생각해 보세요.

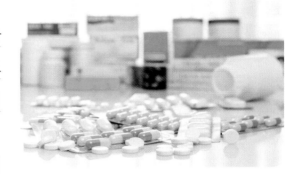

유통 기한이 지났거나 먹다 남은 약은 반드시 약국이나 보건소에 설치된 수거함에 버려야 해요.

약을 이렇게 안전하게 버려야 하는 이유는 생각 없이 버린 약들이 생태계를 위협할 수 있기 때문이에요. 사람이 모여 있는 도시의 하천일수록 약물에 의한 오염이 심하고, 다양한 미생물 중 약에 내성이 생긴 미생물만 살아남았다는 연구가 있어요. 모두 사람이 버린 다양한 약 때문에 일어난 일이에요.

하천이나 땅속에 스며든 약 성분이 우리가 마시는 물로 돌아오면 문제는 더욱 심각해져요. 우리 몸에 내성이 생겨 치료를 위해 약을 먹더라도 효과를 볼 수 없을지 몰라요. 약품을 안전하게 처리하는 것은 결국 우리의 건강을 지키는 일이기도 해요.

어휘 풀이

▼ **유통 기한** |흐를 유 流, 통할 통 通, 기약할 기 期, 한계 한 限| 주로 식품 따위의 상품에 정해 놓은 팔 수 있는 기한. 예 유통 기한이 지난 음식을 먹고 배탈이 났다.

▼ **생태계** |날 생 生, 모양 태 態, 이을 계 系| 일정한 지역이나 환경에서 여러 생물들이 서로 적응하고 관계를 맺으며 어우러진 자연의 세계. 예 인간의 잘못으로 생태계가 파괴되고 있다.

▼ **하천** |강물 하 河, 내 천 川| 강과 시내를 아울러 이르는 말. 예 하천 오염이 심각하다.

▼ **미생물** |작을 미 微, 날 생 生, 만물 물 物| 눈으로는 볼 수 없는 아주 작은 생물. 예 미생물은 어디에나 있다.

▼ **내성** |견딜 내 耐, 성품 성 性| 세균 따위가 약물의 계속 사용에 대하여 나타내는 거스르고 버티는 성질. 예 항생제에 내성이 생긴 바이러스가 유행하고 있습니다.

▶ 정답 및 해설 27쪽

1
어휘

다음 대화에서 빈칸에 들어갈 알맞은 말을 이 글에서 찾아 네 글자로 쓰세요.

산 지 오래됐는데 이 약을 먹어도 될까?

　　　　　이 언제까지인지 살펴봐.

(　　　　　　　　　　　)

힌트

식품 따위의 상품에 정해 놓은 팔 수 있는 기한을 보면 약을 먹어도 될지 알 수 있어요.

2
이해

스스로 독해 해결!

먹다 남은 약을 버릴 수 있는 수거함이 있는 장소 두 곳을 찾아 ○표를 하세요.

| 도서관 | 약국 | 학교 | 보건소 |

4주
2일

3
이해

서술형

약을 안전하게 버려야 하는 이유가 무엇인지 쓰세요.

• 생각 없이 버린 약들이 생태계를 위협할 수 있기 때문이다.
• 약 성분이 우리가 마시는 물로 돌아오면 우리 몸에 내성이 생겨 치료를 위해 약을 먹더라도 _____

4
요약

이 글의 내용을 정리하여 빈칸에 알맞은 말을 각각 쓰세요.

유통 기한이 지났거나 먹다 남은 약은 반드시 약국이나 보건소에 설치된 ❶ □□□□ 에 버려야 한다. 생각 없이 버린 약들이 생태계를 위협할 수 있고, 약품을 안전하게 처리하는 것이 결국 우리 ❷ □□□ 을 지키는 일이기 때문이다.

1 다음 대화 속 '하천'이 무엇과 무엇을 아울러 이르는 말인지 찾아 ○표를 하세요.

> 생각 없이 버린 약이 하천과 땅속을 오염시키고 있어.

> 하천에 들어간 약 성분이 우리가 마시는 물로 돌아오면 어쩌지?

(1)
▲ 산
( )

(2)
▲ 강
( )

(3)
▲ 시내
( )

(4)
▲ 하늘
( )

힌트
'하천'은 '강물 하 河' 자와 '내 천 川' 자를 합쳐 만든 낱말이에요. 낱말을 이루는 한자를 알면 그 뜻을 짐작하기 쉬울 때가 있어요.

2 다음에서 설명하는 장소가 어디인지 알맞은 곳을 골라 ○표를 하세요.

약사가 약을 짓거나 파는 곳.

(1) ✚ 약국

(2) 보건소

(3) ○○ 은행

◉ 지호가 먹다 남은 약을 버리려고 해요. 그림을 보고 먹어도 되는 약에 ◯표를 하고, 남은 약을 버릴 수 있는 곳에 △표를 하세요.

「먹다 남은 약은 어디에 버려야 할까요?」의 내용을 떠올리며 **먹을 수 있는 약을 구별하는 방법**과 **먹다 남은 약을 버리는 방법**을 다시 한번 확인해 봅니다.

크리스마스 캐럴

공부한 날 　월　일

인물의 성격을 생각하며 대사를 실감 나게 읽어 보자!

「크리스마스 캐럴」은 연극을 하기 위해 쓴 희곡이에요.

이 글을 실감 나게 읽으려면 먼저 스크루지의 말과 행동을 통해 성격을 짐작해 보고,

인물의 성격에 알맞은 말투로 대사를 실감 나게 읽어야 한답니다.

◉ 오늘 공부할 글과 그림을 미리 보고, 알맞은 낱말을 각각 찾아 표시하세요.

즐거운 크리스마스 이브. 난로를 피우지 않아 몹시 추운 가게에 구두쇠 스크루지 영감의 조카 프랫이 들어온다.

프랫: 메리 크리스마스! 스크루지 삼촌.
스크루지: (귀찮다는 표정으로) 그깟 크리스마스가 뭐라고! 나는 크리스마스를 축하한다고 돌아다니는 바보 놈들이 모조리 없어졌으면 좋겠구나.

1 '돈이나 재물 따위를 아끼는 태도가 몹시 지나친 사람.'이라는 뜻의 낱말을 찾아 ○표를 하세요.

2 '형제자매의 자식을 이르는 말.'이라는 뜻의 낱말을 찾아 △표를 하세요.

크리스마스에 대해 자세히 알아보기

크리스마스 캐럴

찰스 디킨스

스스로 독해

스크루지 영감의 대사는 어떻게 읽어야 실감 날까요? 스크루지 영감의 성격을 떠올리며 점선 부분을 인물의 성격에 알맞은 말투로 실감 나게 읽어 보세요.

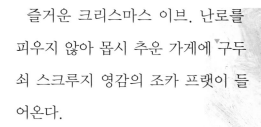

즐거운 크리스마스 이브. 난로를 피우지 않아 몹시 추운 가게에 구두쇠 스크루지 영감의 조카 프랫이 들어온다.

프랫: 메리 크리스마스! 스크루지 삼촌.

스크루지: (귀찮다는 표정으로) 그깟 크리스마스가 뭐라고! 나는 크리스마스를 축하한다고 돌아다니는 바보 놈들이 모조리 없어졌으면 좋겠구나.

프랫: 삼촌, 크리스마스는 사람들이 서로 마음을 열고, 자기보다 더 어려운 사람들을 생각하는 따뜻한 날이에요. 내일은 공휴일이니 저희 집에 오셔서 함께 즐거운 크리스마스를 보내요.

스크루지: (돈을 세며) 내가 왜 너희 집에 가겠니? 바쁘다, 빨리 가거라.

프랫이 가게를 떠나고 기부 상자를 든 남자가 가게에 들어온다.

남자: 안녕하세요? 불쌍한 사람들을 위해서 기부 좀 하십시오.

스크루지: (화를 내며) ㉠이봐요! 내가 피땀 흘려 번 돈을 왜 남에게 줍니까? 나는 그럴 돈이 없소.

어휘 풀이

▼**구두쇠** 돈이나 재물 따위를 아끼는 태도가 몹시 지나친 사람. 예 그는 소문난 구두쇠였다.

▼**기부**|부칠 기 寄, 붙을 부 附| 남을 돕기 위하여 돈이나 물건 따위를 대가 없이 내놓음.
예 겨울 내내 가난한 사람들을 위한 연탄 기부가 이어졌다.

▼**피땀** 무엇을 이루기 위하여 애쓰는 노력과 정성을 빗대어 이르는 말. 예 아빠께서는 피땀 흘려 일하셨다.

▶정답 및 해설 28쪽

1
어휘

다음 중 '구두쇠'란 낱말이 어울리는 옛이야기 속 인물의 이름에 ◯표를 하세요.

(1)

> 밥을 먹을 때 반찬은 보기만 하고 먹지는 말거라!

자린고비

(2)

> 제비야, 내가 다리를 고쳐 주마.

흥부

2
유추

이 글의 내용으로 보아 스크루지 영감의 성격으로 알맞은 것을 두 가지 고르세요.

(   )

① 인정이 많다.

② 화를 잘 낸다.

③ 돈을 몹시 아낀다.

④ 사람들에게 친절하다.

⑤ 남에게 베풀기를 잘한다.

> **힌트**
> 스크루지 영감이 한 행동이나 말에서 성격이 드러나요.

스스로 독해 해결! **서술형**

3
유추

㉠에 어울리는 목소리를 쓰세요.

_____ 목소리로 읽는 것이 어울린다.

4
요약

이 글의 내용을 정리하여 빈칸에 알맞은 말을 각각 쓰세요.

❶ 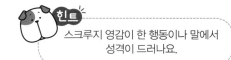 이브에도 구두쇠 스크루지 영감은 가게에 난로도 피우지 않고 일만 했어요. 조카 ❷ ▢▢▢ 이 찾아와 자신의 집에 초대했지만 바쁘다며 거절하였고, 불쌍한 사람들을 위해 기부도 하지 않았어요.

▶ 정답 및 해설 28쪽

1 다음 친척을 부르는 말에 알맞은 뜻을 각각 찾아 선으로 이으세요.

(1) 삼촌 •

(2) 조카 •

(3) 이모 •

• ① 형제자매의 자식을 이르는 말.

• ② 어머니의 여자 형제를 이르거나 부르는 말.

• ③ 아버지의 형제를 이르거나 부르는 말.

힌트
삼촌과 이모는 부모님의 형제를 뜻해요.
그리고 삼촌과 이모는 '나'를 조카라고 불러요.

2 다음 달력에서 ◯표를 한 날들이 어떤 날인지 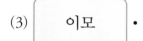 에서 알맞은 말을 각각 찾아 쓰세요.

<u>12월</u>

월	화	수	목	금	토	일
						1
2	3	❶4	5	6	❷7	8
9	10	11	12	13	14	15
16	17	18	19	20	21	22
23	24	❸25	26	27	28	29
30	31					

보기

평일   공휴일   주말

(1) ❶: 토요일, 일요일, 공휴일이 아닌 보통 날. (   )

(2) ❷: 한 주일의 끝 무렵. 주로 토요일부터 일요일까지를 이름. (   )

(3) ❸: 국가나 사회에서 정하여 다 함께 쉬는 날. (   )

○ 착한 사람이 된 스크루지 영감은 크리스마스에 사람들에게 줄 선물을 사러 백화점에 들렀어요. 스크루지 영감이 내야 할 돈이 얼마인지 계산해 숫자로 써 보세요.

 스크루지 영감은 크리스마스 케이크값 (1) (   )원, 로봇값 10,000원,

(2) (   )값 30,000원을 합해 모두 (3) (   )원을 내야 합니다.

 「크리스마스 캐럴」의 내용을 떠올려 보고 스크루지 영감이 사려는 물건들의 값을 더하며 **만 단위 덧셈**을 해 봅니다.

언어 (비문학)

'떡두꺼비 같다'는 말은 무슨 뜻일까?

공부한 날   월   일

말의 뜻을 짐작하며 글을 읽자!

모르는 말의 뜻을 짐작하며 「'떡두꺼비 같다'는 말은 무슨 뜻일까?」를 읽어 봐요.
말의 앞뒤 내용을 살펴보거나, 비슷한 뜻을 가진 낱말을 넣어서
뜻이 통하는지 살펴보면 뜻을 짐작할 수 있어요.

● 오늘 공부할 글의 그림을 미리 보고, 빈칸에 알맞은 낱말을 각각 찾아 쓰세요.

복   돈   꾸중   칭찬

어른들이 남자 아기에게 '떡두꺼비 같다'고 하는 말을 들어 본 적이 있나요?

그 말은 사실 튼튼하고 ❶ [ ] 을 많이 받을 거라는 ❷ [ ][ ] 이래요.

                       ↳삶에서 누리는 좋고 만족할 만한   ↳좋은 점이나 착하고 훌륭한 일을
                        행운. 또는 거기서 얻는 행복.   높이 평가함. 또는 그런 말.

'떡두꺼비 같다'는 말의 뜻을 자세히 알아볼까요?

두꺼비에 대해
알아보기

'떡두꺼비 같다'는 말은 무슨 뜻일까?

스스로 독해

'떡두꺼비 같다'는 말은 무슨 뜻일까요? 점선 부분을 따라 선을 그으며 읽고 말의 뜻을 생각해 보세요.

두꺼비는 여러분도 잘 알다시피 몸에 울퉁불퉁 돌기가 나 있고 생김새도 예쁘지 않아요. 하지만 어른들은 튼튼한 남자 아기를 보면 '떡두꺼비 같다'는 말을 자주 해요. 튼튼한 아기의 양 볼에 두둑하게 오른 살이 두꺼비와 비슷하기 때문이에요. 그리고 예로부터 두꺼비는 남자의 힘을 상징하는 동물이었어요. 게다가 우리 조상들은 두꺼비를 복을 가져다주는 동물로 여기기도 했지요. 그러니까 '떡두꺼비 같다'는 말은 '튼튼하고 복을 많이 받을 아기구나'라는 칭찬인 거예요.

그냥 두꺼비가 아니라 '떡두꺼비'라고 하는 까닭은 '떡'이 크게 벌어진 모양이나 굳세게 버티는 모양을 가리키는 말이기 때문이랍니다.

어휘 풀이

▾**두꺼비** 두꺼빗과의 양서류. 모양은 개구리와 비슷하나 크기는 그보다 크며 몸은 어두운 갈색 또는 황갈색에 짙은 얼룩무늬가 있음. ㉖ 콩쥐 앞에 두꺼비가 나타나 말을 걸었다.

▾**돌기**|부딪칠 돌 突, 일어날 기 起| 뾰족하게 내밀거나 도드라짐. 또는 그런 부분.
㉖ 엉덩이에 작은 돌기가 났다.

▾**두둑하게** 매우 두껍게. ㉖ 추워서 옷을 두둑하게 입었다.

▾**복**|복 복 福| 삶에서 누리는 좋고 만족할 만한 행운. 또는 거기서 얻는 행복. ㉖ 새해 복 많이 받으세요.

▶ 정답 및 해설 29쪽

1 다음 문장의 빈칸에 공통으로 들어갈 낱말을 골라 ◯표를 하세요.

어휘

> •   벌어진 어깨가 든든해 보였다.
>
> • 어머니께서 잔칫상을   벌어지게 차려 놓으셨다.
>
> • 길가에 개 한 마리가   버티고 서 있다.

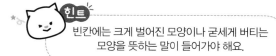

힌트
빈칸에는 크게 벌어진 모양이나 굳세게 버티는
모양을 뜻하는 말이 들어가야 해요.

(척 , 떡 , 쿵)

2 이 글에서 설명하는 두꺼비에 대한 특징으로 알맞은 것을 두 가지 고르세요.

이해
(　　　)

① 긴 꼬리가 있다.　　　　　② 생김새는 예쁘지 않다.

③ 피부가 매끄럽고 깨끗하다.　　④ 몸에 울퉁불퉁 돌기가 나 있다.

⑤ 개구리보다 작고 귀엽게 생겼다.

4주
4일

서술형

3 어른들은 언제 '떡두꺼비 같다'는 말을 하는지 쓰세요.

이해

> 　어른들은 _____ '떡두꺼비 같다'는
> 말을 자주 한다.

스스로 독해 해결!

4 이 글의 내용을 이해하기 쉽게 간추려 빈칸에 알맞은 말을 각각 쓰세요.

요약

> • 튼튼한 아기의 양 볼에 두둑하게 오른 살이 ❶ 　　　　　 와 비슷하다.
>
> • 예로부터 두꺼비는 남자의 힘을 상징하는 동물이었다.
>
> • 우리 조상들은 두꺼비를 복을 가져다주는 동물로 여기기도 했다.
>
> → '떡두꺼비 같다'는 말은 '❷ 　　　　 하고 복을 많이 받을 아기구나'라는
> 　칭찬이다.

1 다음 보기 에서 사진 속 두꺼비의 모습에 알맞은 낱말을 골라 빈칸에 쓰세요.

보기

두둑하게   날씬하게

두꺼비가 살이 _____ 쪘다.

2 다음 '울퉁불퉁'에 대한 대화를 읽고, 그 뜻을 알맞게 짐작한 것을 골라 밑줄을 그으세요.

두꺼비는 여러분도 잘 알다시피 몸에 울퉁불퉁 돌기가 나 있고 생김새도 예쁘지 않아요.

'울퉁불퉁' 대신에 뜻이 비슷한 '우둘투둘'을 넣어도 뜻이 통해.

앞뒤 내용을 보니 몸에 돌기가 나 있는 모습을 울퉁불퉁하다고 하였어.

• '울퉁불퉁'은 물체의 겉면이 (고르지 않게 여기저기 몹시 나오고 들어간 , 튀어나오거나 들어간 곳 없이 반들반들하고 깨끗한) 모양을 뜻한다.

● 명탐정 홈즈를 돕는 아이들의 추리를 읽고, '감쪽같다'의 뜻으로 알맞은 것에 밑줄을 그어 보세요.

4주
4일

 '감쪽같다'는 꾸미거나 고친 것이 '(전혀 알아챌 수 없을 정도로 티가 나지 않는다 , 너무 눈에 띄게 티가 난다)'는 뜻이에요.

 「'떡두꺼비 같다'는 말은 무슨 뜻일까?」에서 말의 뜻을 알아보았던 것처럼 만화에 나온 **'감쪽같다'가 무슨 뜻일지 짐작**해 봅니다.

미세 먼지로부터 건강 지키기

공부한 날 　월　 일

아는 내용이나 겪은 일과 관련지으며 글을 읽자!

아는 내용이나 겪은 일과 관련지으며

가정 통신문 「미세 먼지로부터 건강 지키기」를 읽어 보세요.

미세 먼지에 대해 자신이 알고 있는 내용이나 경험을 떠올리며 읽고,

새롭게 안 내용을 정리하며 글을 읽으면 글을 잘 이해할 수 있어요.

● 오늘 공부할 글의 그림을 미리 보고, 빈칸에 들어갈 낱말을 보기 에서 각각 찾아 쓰세요.

보기

착용　　　　환기　　　　마스크　　　　마이크

❶

탁한 공기를 맑은 공기로 바꿈.

예 적절히 ○○하고 청소 자주 하기

4주
5일

❷

병균이나 먼지 따위를 막기 위하여 입과 코를 가리는 물건.

예 ○○○ 없이 미세 먼지를 들이마시면 건강을 해칠 수 있습니다.

이 신발을 신어 보세요.

❸

의복, 모자, 신발, 액세서리 따위를 입거나, 쓰거나, 신거나 차거나 함.

예 외출을 피하고, 밖에서는 마스크 ○○하기

미세 먼지에 대해
자세히 알아보기

가정 통신문	**미세 먼지로부터 건강 지키기**	대상	전교생
		담당	교사 김영진

스스로 독해

미세 먼지에 대해 아
는 내용이나 겪은 일
이 있나요? 학교에서
보낸 가정 통신문을
읽으며 새롭게 알게
된 내용은 무엇인가
요? 점선 부분을 따
라 선을 그으며 읽고,
어떤 내용이 있는지
살펴봐요.

천재초등학교 학생 여러분께

안녕하십니까? 최근 미세 먼지가 심한 날이 많아지면서 사람들의 건강에 대한 걱정이 높아지고 있습니다. 그래서 건강을 위협하는 미세 먼지로부터 건강을 지키는 방법에 대해 안내하려 합니다.

◎ 미세 먼지란?

미세 먼지란, 대기 중에 떠다니거나 흩날려 내려오는 아주 작은 먼지를 뜻합니다. 미세 먼지는 여러 가지 몸에 나쁜 물질로 이루어져 있기 때문에 미세 먼지를 들이마시면 건강을 해칠 수 있습니다.

◎ 미세 먼지로부터 건강을 지키는 방법

▲ 외출을 피하고,
밖에서는 마스크 착용하기

▲ 외출 후에는 몸을
깨끗이 씻기

▲ 적절히 환기하고
청소 자주 하기

천재초등학교장

어휘 풀이

▼ **대기** |큰 대 大, 기운 기 氣| 공기를 달리 이르는 말. 예 오늘 대기 오염이 매우 심각합니다.

▼ **마스크** 병균이나 먼지 따위를 막기 위하여 입과 코를 가리는 물건. 예 감기에 걸리지 않으려고 마스크를 썼다.

▼ **착용** |붙을 착 着, 쓸 용 用| 의복, 모자, 신발, 액세서리 따위를 입거나, 쓰거나, 신거나 차거나 함.
예 차에 타면 반드시 안전띠를 착용해 주세요.

▼ **환기** |바꿀 환 換, 기운 기 氣| 탁한 공기를 맑은 공기로 바꿈. 예 매일 창문을 열어 환기를 하자.

▶ 정답 및 해설 30쪽

1
어휘

대기 중에 떠다니거나 흩날려 내려오는 아주 작은 먼지를 무엇이라고 하는지 쓰세요.

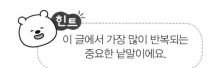

힌트
이 글에서 가장 많이 반복되는 중요한 낱말이에요.

2
이해

서술형

이 글에서는 최근에 사람들이 건강에 대한 걱정이 많아진 까닭이 무엇이라고 하였는지 쓰세요.

최근 _____ 사람들의 건강에 대한 걱정이 높아졌다.

4주 5일

3
이해

스스로 독해 해결!

다음 중 이 글을 읽고 새롭게 안 내용을 알맞게 말한 사람의 이름에 ○표를 하세요.

얼마 전에 미세 먼지를 들이마시면 건강을 해칠 수 있다는 기사를 본 적이 있어.

연주

성호

미세 먼지로부터 건강을 지키기 위해 어떻게 해야 하는지를 알게 되었어.

4
요약

미세 먼지로부터 건강을 지키기 위해 어떻게 행동해야 하는지를 정리하여 쓰세요.

미세 먼지로부터 건강을 지키는 방법

1. 미세 먼지가 심한 날은 외출을 피하고, 밖에서는 ❶ [ ][ ][ ]를 착용합니다.

2. 외출하고 집에 돌아와서는 몸을 깨끗이 씻습니다.

3. 실내 공기를 적절히 ❷ [ ][ ]하고, 청소를 자주 하여서 실내 공기를 깨끗하게 관리합니다.

▶ 정답 및 해설 30쪽

1 다음 빈칸에 들어가기에 알맞은 말을 보기에서 골라 쓰세요.

> 안녕하십니까? 최근 미세 먼지가 심한 날이 많아지면서 사람들의 건강에 대한 걱정이 높아지고 있습니다. ☐☐☐☐ 건강을 위협하는 미세 먼지로부터 건강을 지키는 방법에 대해 안내하려 합니다.

보기

앞의 내용이 뒤의 내용의 원인이나 근거, 조건 따위가 될 때 이어 주는 말.

앞의 내용과 뒤의 내용이 서로 반대 되거나 어긋나게 될 때 이어 주는 말.

→ (   )

힌트
빈칸의 앞의 내용과 뒤의 내용이 어떤 관계인지 살펴보면 어떤 말이 들어가야 하는지 알 수 있어요.

2 다음 대화에 나오는 '대기' 대신에 쓸 수 있는 낱말을 골라 ○표를 하세요.

> 대기 중에 떠다니거나 흩날려 내려오는 아주 작은 먼지를 미세 먼지라고 해.

> 그러면 숨을 쉬다가도 미세 먼지를 들이마실 수 있겠구나.

| 땅 | 물 | 바다 | 공기 | 구름 |

▶ 정답 및 해설 30쪽

◉ 미세 먼지가 심한 날 어떻게 해야 하는지 잘 알았지요? 그러면 미세 먼지를 막기 위해 마스크는 어떻게 써야 하는지 알아보아요. 다음 그림을 보고 빈칸에 알맞은 말을 보기 에서 각각 찾아 쓰세요.

보기

| 눈 | 귀 | 입 | 가스 | 공기 |

❶ 양손으로 마스크를 잡고 접힌 면을 위아래로 펼쳐 주세요.

❷ 지지대가 있는 부분을 위로 하여 잡고 턱 쪽에서 시작하여 코 쪽으로 코와 (1)   이 완전히 가리도록 쓰세요.

❸ 끈을 (2)   에 걸어 위치를 고정시키세요.

❹ 양손의 손가락으로 지지대 부분이 코에 딱 붙도록 지지대를 눌러 주세요.

❺ 양손으로 마스크 전체를 감싸고 (3)   가 새는지 확인하면서 얼굴에 딱 붙도록 조정하세요.

「미세 먼지로부터 건강 지키기」의 내용을 떠올리며 **마스크를 올바로 쓰는 방법**을 더 알아봅니다.

[1~3] 다음 글을 읽고, 물음에 답하세요.

"우리 잠꾸러기들, 무서운 꿈을 꾸었나 보구나. 어서 일어나야지?"

그때, 치르치르와 미치르의 방으로 옆집 할머니께서 들어오셨습니다.

"할머니, 죄송해요. 파랑새를 찾지 못했어요."

"파랑새는 바로 네 침대 옆에 있잖니."

할머니께서는 치르치르가 기르던 새를 가리켰습니다.

1 치르치르와 미치르가 찾아 헤매던 파랑새는 어디에 있었는지 세 글자로 찾아 쓰세요.

( )

2 파랑새를 찾은 치르치르와 미치르의 마음은 어떠했을까요? ( )

① 기쁘다. ② 슬프다.

③ 부끄럽다. ④ 안타깝다.

⑤ 걱정스럽다.

3 다음 보기 의 빈칸에 공통으로 들어갈 말을 글에서 찾아 세 글자로 쓰세요.

> **보기**
>
> 장난 ____ 욕심
>
> 말썽

( )

[4~5] 다음 글을 읽고, 물음에 답하세요.

유통 기한이 지났거나 먹다 남은 약은 반드시 약국이나 보건소에 설치된 수거함에 버려야 해요.

약을 이렇게 안전하게 버려야 하는 이유는 생각 없이 버린 약들이 생태계를 위협할 수 있기 때문이에요. 사람이 모여 있는 도시의 하천일수록 약물에 의한 오염이 심하고, 다양한 미생물 중 약에 내성이 생긴 미생물만 살아남았다는 연구가 있어요. 모두 사람이 버린 다양한 약 때문에 일어난 일이에요.

4 먹다 남은 약은 어느 장소에 있는 수거함에 버려야 하는지 골라 ○표를 하세요.

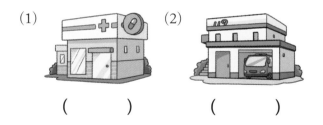

(1) ( ) (2) ( )

5 사람들이 버린 약 때문에 일어난 일을 두 가지 고르세요. ( )

① 사람들이 건강해졌다.

② 도시의 하천이 오염되었다.

③ 생태계가 위협을 받고 있다.

④ 하천에 있는 미생물의 종류가 많아졌다.

⑤ 미세 먼지가 사람들의 건강을 위협한다.

6 다음 (㉠) 안에 들어갈 말을 골라 ○표를 하세요.

> 남자: 안녕하세요? 불쌍한 사람들을 위해서 기부 좀 하십시오.
>
> 스크루지: (㉠) 이봐요! 내가 피땀 흘려 번 돈을 왜 남에게 줍니까? 나는 그럴 돈이 없소.

(1) 화를 내며 ( )

(2) 남자를 따뜻하게 맞이하며 ( )

[7~8] 다음 글을 읽고, 물음에 답하세요.

> 예로부터 두꺼비는 남자의 힘을 상징하는 동물이었어요. 게다가 우리 조상들은 두꺼비를 복을 가져다주는 동물로 여기기도 했지요. 그러니까 ㉠'떡두꺼비 같다'는 말은 '튼튼하고 복을 많이 받을 아기구나'라는 칭찬인 거예요.

7 이 글과 관련 있는 동물에 ○표를 하세요.

(1) ( ) (2) ( )

8 ㉠의 의미는 무엇인지 빈칸에 들어갈 말을 쓰세요.

> 튼튼하고 ☐☐☐☐ 받을 아이라고 칭찬하는 말이다.

[9~10] 다음 글을 읽고, 물음에 답하세요.

> ◎ 미세 먼지란?
>
> 미세 먼지란, 대기 중에 떠다니거나 흩날려 내려오는 아주 작은 먼지를 뜻합니다. 미세 먼지는 여러 가지 몸에 나쁜 물질로 이루어져 있기 때문에 미세 먼지를 들이마시면 건강을 해칠 수 있습니다.
>
> ◎ 미세 먼지로부터 건강을 지키는 방법

▲ 외출을 피하고, 밖에서는 마스크 착용하기 ▲ 외출 후에는 몸을 깨끗이 씻기 ▲ 적절히 환기하고 청소 자주 하기

9 이 글을 쓴 까닭은 무엇인가요? ( )

① 오늘의 날씨를 알려 주려고

② 운동을 잘하는 방법을 알려 주려고

③ 자연 보호의 필요성을 알려 주려고

④ 부지런하게 사는 방법을 알려 주려고

⑤ 미세 먼지로부터 건강을 지키는 방법을 알려 주려고

10 이 글에 나온 낱말 중 보기 의 뜻을 지닌 것은 무엇인가요? ( )

> 보기
> 탁한 공기를 맑은 공기로 바꿈.

① 먼지 ② 미세

③ 외출 ④ 착용

⑤ 환기

4주
평가

창의

1 다음 만화를 읽고, 4주차에서 배운 낱말을 떠올려 어휘 퀴즈에 알맞은 낱말을 빈칸에 각각 쓰세요.

▶ 정답 및 해설 31쪽

🐻 **어휘 퀴즈**

❶ '주로 식품 따위의 상품에 정해 놓은 팔 수 있는 기한.'을 뜻하는 말은?

→

❷ '국가나 사회에서 정하여 다 함께 쉬는 날을 ○○○이라고 한다.'의 빈칸에 들어갈 알맞은 말은? →

❸ '삶에서 누리는 좋고 만족할 만한 행운. 또는 거기서 얻는 행복.'을 뜻하는 말은? →

코딩

2 먹다 남은 약을 안전하게 버리려면 어떤 코딩 명령을 따라가야 하는지 골라 ○표를 하고, 빈 칸에 들어갈 말을 쓰세요.

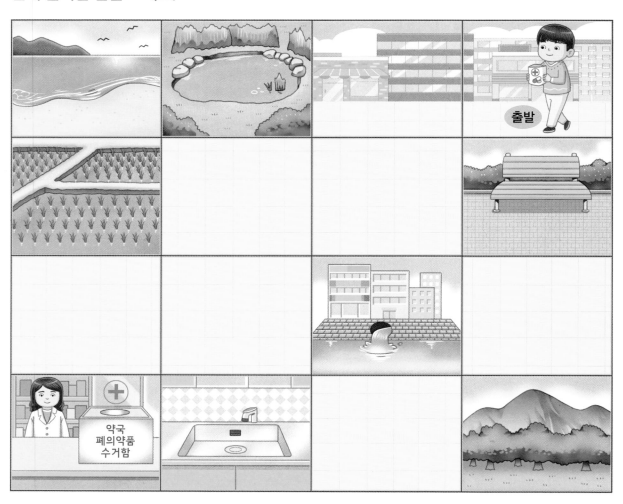

(1) 코딩 명령

▶ 시작하기 버튼을 클릭했을 때
3 번 반복하기
← 방향으로 1 칸 움직이기
↓ 방향으로 1 칸 움직이기

(   )

(2) 코딩 명령

▶ 시작하기 버튼을 클릭했을 때
2 번 반복하기
↓ 방향으로 1 칸 움직이기
← 방향으로 1 칸 움직이기

(   )

먹다 남은 약은 반드시   이나 보건소에 설치된 수거함에 버립니다.

▶정답 및 해설 31쪽

창의·융합·코딩으로 한 주 마무리

융합

3 크리스마스를 맞이하여 어려운 이웃을 돕기 위해 기부를 받고 있습니다. 도착할 때까지 받은 기부금은 모두 얼마인지 생각하며 빈칸에 알맞은 숫자를 각각 쓰세요.

(1)  장 (2)  장 (3) 개

창의
4
체험학습 계획표를 보고 알맞은 말에 ◯표를 하세요.

생활 어휘

3학년 5반 체험학습 계획표

- 일시 및 장소: 5월 15일 수요일 천재 동물원
- 준비물: 도시락, 물, 우산, 필기구
- 일정

시간	내용
09 : 00	– 천재 동물원에 집합
09 : 00 ~ 12 : 00	– 동물원 구경 및 모둠별 과제 실시
12 : 00 ~ 12 : 50	– 점심시간
13 : 00	– 종례

- 과제: 모둠별로 동물이 살아가는 모습 조사하기

체험학습으로 동물원에 간대.

계획표를 보고 필요한 정보를 확인해 봐.

애들아, 동물원으로 체험학습을 간대. 일시는 (1) (날짜와 시간 , 위치와 사람)을 이르는 말이야.

필기구를 준비하라고 했으니까 종이와 (2) (연필 , 시계)을/를 꼭 챙겨 와.

천재 동물원에 집합이라고 했으니까 9시에 동물원에서 (3) (모여야 , 흩어져야) 해.

어휘 풀이 -

▼**일시**|날 일 日, 때 시 時| 날짜와 시간을 아울러 이르는 말. ㉠ 특별 수업 일시를 알려 드리겠습니다.

▼**필기구**|붓 필 筆, 기록할 기 記, 갖출 구 具| 글씨를 쓰는 데에 필요한 여러 종류의 물건. 종이, 먹, 붓, 볼펜이나 연필 따위를 이름. ㉠ 가방에 필기구부터 넣었다.

▼**집합**|모을 집 集, 합할 합 合| 사람들이 한곳으로 모임. ㉠ 세 시까지 집합 장소로 모여 주세요.

▶ 정답 및 해설 31쪽

창의

5

생활 한자

生(날 생) 자에 대해 알아보고, 다음 물음에 답하세요.

生 자는 새싹이 돋아난 모습을 그린 것으로 '태어나다', '살다'의 뜻을 표현한 글자예요.

(1) 生 자가 들어간 낱말을 알아보고, 한자의 음을 쓰세요.

① 의사 선생님은 내 生命의 은인이다.

명

힌트
146쪽에서 공부한 '생태계'에 쓰인 生(날 생) 자에 대해 알아봐요.

4주

특강

② 이곳은 퇴계 이황 선생님의 生家이다.

가

(2) 한자 성어의 뜻을 알아보고, 빈칸에 알맞은 한자를 쓰세요.

우리는 언제나 함께야.

生 死 苦 樂
날 생 죽을 사 쓸 고 즐거울 락

삶과 죽음, 괴로움과 즐거움을 통틀어 일컫는 말.

• 아빠와 아저씨는  死 苦 樂 (생사고락)을 함께한 친구 사이시다.

똑똑한 하루 독해 한 권 끝!

독해 공부 하느라 수고했어요.
약속을 잘 지켰는지 돌아보고 ◯표를 하세요.

약속한 사람 _____

첫째, 하루하루 빠짐없이 꾸준히 공부했나요?   예   아니요

둘째, 하루 독해 문제를 끝까지 다 풀었나요?   예   아니요

셋째, 틀린 문제는 왜 틀렸는지 다시 한번 확인했나요?   예   아니요

약속을 잘 지키지 못한 부분은 스스로 돌아보고,
다음 단계를 공부할 때에는 더 열심히 해 봐요!

그럼, 다음 책으로 고고!

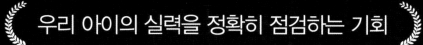

우리 아이의 실력을 정확히 점검하는 기회

40년의 역사
전국 초·중학생 213만 명의 선택

HME 학력평가

해법수학·해법국어

응시 학년
수학 ㅣ 초등 1학년 ~ 중학 3학년
국어 ㅣ 초등 1학년 ~ 초등 6학년

응시 횟수
수학 ㅣ 연 2회 (6월 / 11월)
국어 ㅣ 연 1회 (11월)

주최 **천재교육** ㅣ 주관 **한국학력평가 인증연구소** ㅣ 후원 **서울교육대학교**

*응시 날짜는 변동될 수 있으며, 더 자세한 내용은 HME 홈페이지에서 확인 바랍니다.

기초
학습능력 강화
프로그램

빠른 정답이 들어 있어요!

똑 똑 한
하루
독해

정답 및 해설

3 단계 B
2~3학년

천재교육

정답과 해설
포인트 3가지

▶ 혼자서도 이해할 수 있는 친절한 문제 풀이

▶ 문제 해결에 도움을 주는 '더 알아보기'와
   틀린 부분을 짚어 주는 '왜 틀렸을까?'

▶ 예시 답안과 채점 기준 제시로 서술형 문항 완벽 대비

똑똑한 하루 독해

정답 및 해설

빠른 정답

1주

010쪽~011쪽

1주에는 무엇을 공부할까? ❷

1-1 동무
1-2 친구
2-1 개구쟁이
2-2 개구쟁이

012쪽~017쪽 · 1주 1일

독해 미리 보기

❶ 아씨 ❷ 동무 ❸ 각시

독해

1 ①, ④
2 길이와 너비를 재서 등
3 가위
4 ❶ 공 ❷ 오려

독해 어휘

1 (2) ○
2 (1) ② (2) ① (3) ③

독해 게임

(1) ○

018쪽~023쪽 · 1주 2일

독해 미리 보기

1 화제 2 고용 3 아이디어

독해

1 ⑤
2 (2) ○
3 까마귀들의 건강을 해칠 수 있기 등
4 ❶ 청소부 ❷ 건강

독해 어휘

1 (1) 배 달 부 (2) 과 학 자 (3) 교 사
2 (1) ① (2) ②

독해 게임

(1) 비둘기 (2) 귀소 본능

024쪽~029쪽 · 1주 3일

독해 미리 보기

❶ 개구쟁이 ❷ 말썽꾸러기

독해

1 웬일
2 ⑤
3 '나'는 정말 못 살겠기 때문이다. 등
4 ❶ 하지 마 ❷ 못 살아

독해 어휘

1 (1) 거짓말 (2) 욕심 (3) 심술
2 (1) 장난꾸러기 (2) 알밤

독해 게임

(1) 송알송알 (2) 얼룩덜룩

030쪽~035쪽 · 1주 4일

독해 미리 보기

1 이득 2 값어치

독해

1 포기한 것으로부터 얻을 수 있었던 이득이다.
한 가지를 선택함으로써 포기하게 되는 다른 것의 값어치이다. 등
2 ④
3 농구
4 ❶ 기회비용 ❷ 적은

독해 어휘

1 (1) 가치 (2) 손실
2 (1) 눈꼬리 (2) 강냉이 (3) 봉선화

독해 게임

치마, 사과, 크레파스

036쪽~041쪽

1주 5일

독해 미리 보기

❶ 표기   ❷ 부여

독해

1 길을 찾기가 쉬워진다. 등

2 ㉢

3 ❶ 도로명 주소 ❷ 표기

독해 어휘

1 (1) 붙이고 (2) 붙인

2 (1) 표기 (2) 부여 (3) 차로

독해 게임

(1) 1 (2) 1

2주

052쪽~053쪽

2주에는 무엇을 공부할까? ❷

1–1 몸살	1–2 몸살
2–1 잔뜩	2–2 잔뜩

042쪽~043쪽

누구나 100점 테스트

1 (1) ○	2 (1) ② (2) ①
3 학습	4 ②
5 청소부	6 ㉢
7 ②	8 게임
9 (1) ○	10 다솔

054쪽~059쪽

2주 1일

독해 미리 보기

1 몸져눕자   2 홀로

독해

1 (1) 성격 (2) 서럽게   2 ①, ④

3 끼니도 제대로 주지 않았기 때문이다. 등

4 ❶ 어머니 ❷ 약

독해 어휘

1 (1) 병환 (2) 드리다 (3) 여쭈다 (4) 주무시다

2 (1) 낳다 (2) 낫다   3 색깔

독해 게임

044쪽~049쪽

1주 특강

1 ❶ 고용 ❷ 꿀밤 ❸ 부여

2 (1) ○

3 (2) ○

4 (1) 필수 (2) 끼거나 (3) 쓴

5 (1) ① 표 정 ② 표 현

 (2) 表 裏 不 同

빠른 정답

060쪽~065쪽 — 2주 2일

독해 미리 보기

❶ 편식   ❷ 균형

독해

1 (1) 가끔 (2) 버릇   2 채소는 골라내고 등

3 ①, ④   4 ❶ 편식 ❷ 비만

독해 어휘

1 (1) 비만 (2) 섭취 (3) 균형   2 반드시

3 짜장면

독해 게임

예 쌀밥, 두부조림, 사과, 호두, 버섯볶음

066쪽~071쪽 — 2주 3일

독해 미리 보기

❶ 감쪽같이   ❷ 항아리

독해

1 (1) ○   2 ⑤   3 딸 이름을 부르면 등

4 ❶ 꽃담이 ❷ 뚜껑

독해 어휘

1 키득키득, 깔깔   2 신발   3 ㉠

독해 게임

072쪽~077쪽 — 2주 4일

독해 미리 보기

❶ 화성   ❷ 흔적

독해

1 비록   2 ④   3 (1) 지구와 비슷하기 등

(2) 바람이 많이 불기 등   4 ❶ 물 ❷ 바람

독해 어휘

1 (2) 무 (3) 무자비 (4) 무감각   2 (2) ○

3 ❶ 바람 ❷ 물

독해 게임

태양

078쪽~083쪽 — 2주 5일

독해 미리 보기

❶ 소음   ❷ 플러그   ❸ 감전

독해

1 ③, ④   2 바람의 세기를 쉽게 조절할 수 있다. 등

3 (3) ○   4 ❶ 전원 ❷ 젖은 ❸ 감전

독해 어휘

1 (1) 이 (2) 절름발이   2 (3) ○

독해 게임

내려간다

084쪽~085쪽 — 누구나 100점 테스트

1 드려야죠   2 서윤

3 ③   4 (1) ㉢ (2) ㉠, ㉡

5 (3) ○   6 ㉢

7 걱정스러운   8 물

9 드라이어   10 (2) ×

086쪽~091쪽 — 2주 특강

1 ❶ 균형 ❷ 감쪽같이 ❸ 흔적

2 ❷ 2 ❸ 3

3 20,000

4 (1) 들어온 (2) 나간 (3) 남은

5 (1) ① 병 문 안 ② 병 간 호

(2) 同 病 相 憐

094쪽~095쪽

3주에는 무엇을 공부할까? 2

1-1 허름한 1-2 허름한
2-1 (1) ○ 2-2 개선

096쪽~101쪽 3주 1일

독해 미리 보기

❶ 으스대던 ❷ 전설

독해

1 (1) 혼인 (2) 뽐내다 2 더 예쁘다고 사람들에게 자
랑을 했기 때문이다. 등 3 ⑤
4 ❶ 네레이스 ❷ 의자

독해 어휘

1 ⑤ 2 (2) ○ 3 (1) 하늘 (2) 별 (3) 자리

독해 게임

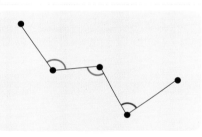

102쪽~107쪽 3주 2일

독해 미리 보기

1 기호 2 지도

독해

1 (1) | 해 | 결 | 할 | | 수 | | 있 | 어 | . |

  (2) | 산 | 이 | | 있 | 는 | | 것 | 을 |

2 (1) 멈추라는 뜻이에요. 등 (2) 움직이라는 뜻이에요. 등
3 ①, ② 4 ❶ 기호 ❷ 한눈

독해 어휘

1 (1) 뒤 (2) 빼다 (3) 단순하다 (4) 멈추다
2 (1) ② (2) ③ (3) ①

독해 게임

| L | O | V | E |

108쪽~113쪽 3주 3일

독해 미리 보기

❶ 조각상 ❷ 산기슭 ❸ 다락방

독해

1 (1) 제비 (2) (행복한) 왕자 / 조각상 등 2 ⑤
3 자신의 눈에 박혀 있는 푸른 보석을 떼어 등
4 ❶ 보석 ❷ 제비

독해 어휘

1 ④ 2 (2) 다발 (3) 포기 (4) 손 (5) 톨

독해 게임

114쪽~119쪽 3주 4일

독해 미리 보기

❶ 시차 ❷ 표준시 ❸ 회담

독해

1 ④ 2 ❶ 일본 ❷ 평양
3 남북 관계를 개선하겠다는 의지 등
4 ❶ 시차 ❷ 개선

독해 어휘

1 수도 2 이르다 3 (2) ○

독해 게임

빠른 정답

120쪽~125쪽 **3주 5일**

독해 미리 보기

❶ 안내 　 ❷ 행사

독해

1 (1) ○ 　　 **2** 두 시에 놀이공원 중앙 광장 등
3 ❶ 튤립 　 ❷ 두(2) 　 ❸ 분수대

독해 어휘

1 알록달록 　 **2** (1) 꽃 　 (2) ㉔ 국화꽃
3 이벤트, 퍼레이드, 페스티벌

독해 게임

(1) 왕관 　 (2) 칼 　 (3) 황금

126쪽~127쪽 **누구나 100점 테스트**

1 ⑤ 　　 **2** 카시오페이아자리 　 **3** ②
4 (1) ① 　 (2) ③ 　 (3) ④ 　 (4) ② 　　 **5** 원우
6 보석 　 **7** ④, ⑤ 　 **8** (2) ○ 　 **9** (2) ○
10 ①, ②, ④

128쪽~133쪽 **3주 특강**

1 ❶ 통일 　 ❷ 전설 　 ❸ 참여
2 (1) ○
3 (1) 12, 20 　 (2) 1, 45 　 (3) 1, 25
4 (1) 물품 　 (2) 숨을 못 쉴 　 (3) 안 되는
5 (1) ① 장 소 　 ② 소 문
　 (2) 所 願 成 就

4주

136쪽~137쪽 **4주에는 무엇을 공부할까? ❷**

1-1 (2) ○ 　　 **1-2** 생태계
2-1 피땀 　　 **2-2** ㉢

138쪽~143쪽 **4주 1일**

독해 미리 보기

1 추억 　　 **2** 잠꾸러기

독해

1 ⑤ 　　 **2** 께 드렸습니다 　　 **3** 기쁜 마음이
다. / 행복한 기분이다. 등 　 **4** ❶ 파랑새 　 ❷ 할머니

독해 어휘

1 (1) ② 　 (2) ① 　　 **2** (1) 장난 　 (2) 걱정

독해 게임

144쪽~149쪽 — 4주 2일

독해 미리 보기

❶ 유통 기한   ❷ 하천   ❸ 오염

독해

1 유통 기한   **2** 약국, 보건소   **3** 효과를 볼 수 없을지 모른다. 등   **4** ❶ 수거함   ❷ 건강

독해 어휘

1 (2) ○   (3) ○   **2** (1) ○

독해 게임

150쪽~155쪽 — 4주 3일

독해 미리 보기

❶ 구두쇠   ❷ 조카

독해

1 (1) 자린고비   **2** ②, ③
3 (예) 크고 화가 난 듯한   **4** ❶ 크리스마스   ❷ 프랫

독해 어휘

1 (1) ③   (2) ①   (3) ②
2 (1) 평일   (2) 주말   (3) 공휴일

독해 게임

(1) 8,000   (2) 과일 바구니   (3) 48,000

156쪽~161쪽 — 4주 4일

독해 미리 보기

❶ 복   ❷ 칭찬

독해

1 떡   **2** ②, ④   **3** 튼튼한 남자 아기를 보면 등   **4** ❶ 두꺼비   ❷ 튼튼

독해 어휘

1 두둑하게

2 고르지 않게 여기저기 몹시 나오고 들어간

독해 게임

전혀 알아챌 수 없을 정도로 티가 나지 않는다

162쪽~167쪽 — 4주 5일

독해 미리 보기

❶ 환기   ❷ 마스크   ❸ 착용

독해

1 미세 먼지   **2** 미세 먼지가 심한 날이 많아지면서 등
3 성호   **4** ❶ 마스크   ❷ 환기

독해 어휘

1 그래서   **2** 공기

독해 게임

(1) 입   (2) 귀   (3) 공기

168쪽~169쪽 — 누구나 100점 테스트

1 침대 옆   **2** ①   **3** 꾸러기   **4** (1) ○
5 ②, ③   **6** (1) ○   **7** (2) ○   **8** 복을 많이
9 ⑤   **10** ⑤

170쪽~175쪽 — 4주 특강

1 ❶ 유통 기한   ❷ 공휴일   ❸ 복
2 (1) ○, 약국
3 (1) 2   (2) 5   (3) 6
4 (1) 날짜와 시간   (2) 연필   (3) 모여야
5 (1) ① 생 명   ② 생 가
　 (2) 生 死 苦 樂

010쪽~**011**쪽　　　1주에는 무엇을 공부할까? **2**

1-1 동무	1-2 친구
2-1 개구쟁이	2-2 개구쟁이

1-1 '늘 친하게 어울리는 사람.'이라는 뜻의 낱말은 '동무'입니다.

1-2 '동무'와 뜻이 비슷한 낱말은 '가깝게 오래 사귄 사람.'이라는 뜻의 '친구'입니다. '동무들과 공기놀이를 했다.'에서 '동무' 대신 '친구'를 넣어도 문장의 뜻은 변하지 않습니다.

2-1 '장난이 매우 심한 사람.'을 뜻하는 낱말은 '개구쟁이'라고 써야 합니다.

2-2 '어떤 특성이 있는 사람'의 뜻을 더할 때에는 '-쟁이'를 붙이기 때문에 '개구장이'가 아니라 '개구쟁이'라고 써야 맞춤법에 맞습니다.

1일

013쪽　　　똑똑한 하루 독해 미리 보기

❶ 아씨　　❷ 동무　　❸ 각시

014쪽~**015**쪽　　　똑똑한 하루 독해

1 ①, ④	2 길이와 너비를 재서 등	3 가위
4 ❶ 공　❷ 오려		

1 '동무'와 바꾸어 쓸 수 있는 말은 '비슷한 또래로서 서로 친하게 사귀는 사람.'이라는 뜻의 '벗'과 '가깝게 오래 사귄 사람.'이라는 뜻의 '친구'입니다.

2 자 부인은 옷을 지을 때 자신이 나서서 길이와 너비를 잰다고 말하였습니다.

　　채점 기준
　　길이와 너비를 잰다는 내용이 들어가게 답을 썼으면 정답으로 합니다.

3 천을 자르는 일을 하는 인물은 가위 각시이므로 가위 각시가 한 말이라고 짐작할 수 있습니다.

4 자 부인과 가위 각시는 둘 다 옷을 지을 때 자신들의 공이 가장 크다는 의견을 말하였습니다. 자 부인은 자신이 없다면 몸에 딱 맞게 천을 마련해 옷을 지을 수 없다는 까닭을 들었고, 가위 각시는 가위가 천을 오려 내지 않는다면 옷을 지을 수 없다는 까닭을 들었습니다.

016쪽　　　똑똑한 하루 독해 어휘

1 (2) ○　　　**2** (1) ②　(2) ①　(3) ③

1 (1)은 인두, (2)는 골무, (3)은 다리미입니다.

2 (1) '공'은 '일을 마치거나 목적을 이루는 데 들인 노력과 수고.'라는 뜻의 '공로'와 뜻이 비슷한 말입니다.

　(2) '너비'는 '평면이나 넓은 물체의 가로로 건너지른 거리.'라는 뜻의 '폭'과 뜻이 비슷한 말입니다.

　(3) '각시'는 '갓 결혼한 여자.'라는 뜻의 '새색시'와 뜻이 비슷한 말입니다.

017쪽　　　똑똑한 하루 독해 게임

(1) ○

◉ 옛날에는 씨아, 물레, 베틀 등을 이용하여 옷감을 짜고 직접 바느질하여 옷을 지었지만, 오늘날에는 방직기로 옷감을 짜고 재봉틀로 바느질하여 옷을 짓습니다. 따라서 옷을 짓는 도구의 발달로 다양한 종류의 옷을 쉽고 빠르게 지을 수 있게 되었다고 할 수 있습니다.

〔 더 알아보기 〕

• 씨아: 목화의 씨를 빼는 기구를 말합니다.

• 물레: 예전에 솜으로 실을 만드는 틀을 말합니다.

• 베틀: 옛날에 명주, 무명, 삼베 따위의 천을 짜는 틀을 말합니다.

정답
및
해설

2일

019쪽 — 똑똑한 하루 독해 미리 보기

1 화제   **2** 고용   **3** 아이디어

020쪽~021쪽 — 똑똑한 하루 독해

1 ⑤   **2** (2) ◯   **3** 까마귀들의 건강을 해칠 수 있기 등   **4** ❶ 청소부 ❷ 건강

1 '화제'와 '이야깃거리' 모두 '이야기할 만한 재료나 소재.'라는 뜻을 가지고 있습니다.

〔 왜 틀렸을까? 〕
① **제목**: 작품이나 강연, 보고 따위에서, 그것을 대표하거나 내용을 보이기 위하여 붙이는 이름.
② **재료**: 물건을 만드는 데 들어가는 감.
③ **숙제**: 복습이나 예습 따위를 위하여 방과 후에 학생들에게 내 주는 과제.
④ **과제**: 처리하거나 해결해야 할 문제.

2 이 글에서는 까마귀가 담배꽁초를 가져오면 먹이가 나온다는 걸 학습하게 해서 거리를 깨끗하게 하려고 크로우바를 설치했다고 하였습니다. 따라서 까마귀는 이와 같은 학습이 가능할 만큼 머리가 좋은 동물이라고 짐작할 수 있습니다.

〔 더 알아보기 〕
실제로 까마귀는 다른 종류의 새보다 대뇌가 발달하여 학습하는 능력이 뛰어난 새라고 합니다.

3 어떤 사람들은 까마귀가 담배꽁초를 모으게 되면 까마귀들의 건강을 해칠 수 있다고 우려한다고 하였습니다.

채점 기준
까마귀들의 건강을 해칠 수 있다는 내용이 들어가고 '때문이다'와 어울리게 답을 썼으면 정답으로 합니다.

4 이 글에서는 까마귀를 학습시켜 담배꽁초를 줍는 청소부 역할을 하게 하는 기계가 설치됐다는 소식과 함께 까마귀들의 건강을 우려하는 사람들의 입장도 전하고 있습니다.

022쪽 — 똑똑한 하루 독해 어휘

1 (1) 배 달 부   (2) 과 학 자   (3) 교 사
2 (1) ①   (2) ②

1 (1) 배달부: 배달을 직업으로 하는 사람.
(2) 과학자: 과학을 전문으로 연구하는 사람. 주로 자연 과학을 연구하는 사람을 이름.
(3) 교사: 주로 초등학교·중학교·고등학교 따위에서, 일정한 자격을 가지고 학생을 가르치는 사람.

2 (1) '까마귀 고기를 먹었나'는 무엇을 까맣게 잘 잊어버리는 사람을 놀리거나 나무라는 말입니다.
(2) '까마귀 날자 배 떨어진다'는 우연히 동시에 일이 생겨서 둘 사이에 무슨 관계라도 있는 것처럼 의심을 받을 수 있는 경우를 가리키는 말입니다.

〔 더 알아보기 〕
까마귀가 들어간 속담 예
• **까마귀가 아저씨 하겠다**: 손발이나 몸에 때가 너무 많이 끼어서 시꺼멓고 더러운 것을 놀림조로 이르는 말.
• **까마귀가 검어도 살은 희다[아니 검다]**: 사람을 평가할 때 겉모양만 보고 할 것이 아니라는 뜻으로 이르는 말.

023쪽 — 똑똑한 하루 독해 게임

예부터 (1)(까치 , 비둘기)는 (2) (귀소 본능 , 모성 본능)이 강해 통신 수단의 하나로 이용됐다.

◉ 만화에서 비둘기는 집을 찾아 돌아오는 귀소 본능이 강하고, 먼 거리도 날아갈 수 있어서 전화기나 무전기가 없던 시절에는 통신 수단의 하나로 이용됐다고 하였습니다.

〔 더 알아보기 〕
여성이 어머니로서 가지는 정신적·육체적 성질 등을 발휘하는 본능을 모성 본능이라고 합니다.

025쪽 똑똑한 하루 독해 미리 보기

❶ 개구쟁이 ❷ 말썽꾸러기

026쪽~027쪽 똑똑한 하루 독해

1 웬일 2 ⑤ 3 '나'는 정말 못 살겠기 때문
이다. 등 4 ❶ 하지 마 ❷ 못 살아

1 '웬일'의 뜻과 쓰임이 설명되어 있습니다. '왠일'은
맞춤법에 맞는 말이 아닙니다.

【 더 알아보기 】

왠	• '왜'에서 온 말이라 '왜인지.'라는 뜻으로만 쓰입니다. 예 오늘은 **왠**지 피곤하다.
웬	• '어찌 된.', '어떠한.'이라는 뜻을 가지고 있습니다. 예 이게 **웬** 떡이냐?

2 이 시에서 '자꾸만'은 한 번만 쓰였습니다.

【 더 알아보기 】

운율

• 시를 읽을 때 느껴지는 노래와
같은 리듬입니다.
• 같은 말이나 구조가 반복되면
운율을 느낄 수 있습니다.
• 글자 수가 반복되면 운율을 느
낄 수 있습니다.

반복적인 표현
♪♪♩ · ♪♪♩
♪♪♩ · ♪♪♩

3 2연에서 '엄마가 못 살면 / 난 정말 못 살겠거든요.'
라고 말하였습니다.

채점 기준
'나'는 정말 못 살겠기 때문이라는 내용이 들어가게 답
을 썼으면 정답으로 합니다.

4 이 시에서는 엄마한테 '하지 마.'와 '못 살아.'라는 말
을 하지 말아 달라고 말하고 있습니다.

028쪽 똑똑한 하루 독해 어휘

1 (1) 거짓말 (2) 욕심 (3) 심술
2 (1) 장난꾸러기 (2) 알밤

1 (1) '거짓말쟁이'는 거짓말을 잘하는 사람입니다.
   (2) '욕심쟁이'는 욕심이 매우 많은 사람입니다.
   (3) '심술쟁이'는 심술이 매우 많은 사람입니다.

【 더 알아보기 】

'–쟁이'가 들어가는 말 예
• **겁쟁이**: 겁이 많은 사람.
• **떼쟁이**: 떼를 잘 쓰는 사람.
• **말썽쟁이**: 자주 문제를 일으키는 말이나 행동을 하는 사람.
• **멋쟁이**: 멋있거나 멋을 잘 부리는 사람.
• **방귀쟁이**: 방귀를 자주 뀌는 사람.

2 (1) '개구쟁이'는 '장난이 매우 심한 사람.'을 뜻하는
   '장난꾸러기'와 뜻이 비슷한 말입니다.
   (2) '꿀밤'은 '주먹으로 머리를 쥐어박는 일.'을 뜻하
   는 '알밤'과 뜻이 비슷한 말입니다.

029쪽 똑똑한 하루 독해 게임

(1) 송알송알 (2) 얼룩덜룩

◉ 이마에 땀방울이 맺혀 있는 모습에는 흉내 내는 말
'송알송알'이, 맨발에 흙먼지가 묻어 있는 모습에는
흉내 내는 말 '얼룩덜룩'이 어울립니다.

【 더 알아보기 】

• **송알송알**: 땀방울이나 물방울, 열매 따위가 잘게 많이
맺힌 모양.
• **종알종알**: 주로 여자나 아이들이 남이 잘 알아듣지 못할
정도의 작은 목소리로 혼잣말을 자꾸 하는 소리. 또는 그
모양.
• **우둘투둘**: 거죽이나 바닥이 고르지 않게 군데군데 두드
러져 있는 모양.
• **얼룩덜룩**: 여러 가지 어두운 빛깔의 점이나 줄 따위가
조금 성기고 고르지 않게 무늬를 이룬 모양.

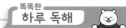

4일

031쪽 · 똑똑한 하루 독해 **미리 보기**

1 이득 **2** 값어치

032쪽~**033**쪽 · 똑똑한 하루 독해

1 포기한 것으로부터 얻을 수 있었던 이득이다. / 한 가지를 선택함으로써 포기하게 되는 다른 것의 값어치이다. 등
2 ④ **3** 농구 **4** ❶ 기회비용 ❷ 적은

1 이 글에서는 한 가지를 선택함으로써 포기하게 되는 것의 값어치, 또는 포기한 것으로부터 얻을 수 있었던 이득을 기회비용이라고 하였습니다.

> **채점 기준**
> '포기한 것으로부터 얻을 수 있었던 이득' 또는 '한 가지를 선택함으로써 포기하게 되는 다른 것의 값어치'라는 내용이 들어가게 답을 썼으면 정답으로 합니다.

2 이 글에서는 후회하지 않는 선택을 하려면 당장 눈앞에 있는 좋은 것만 보지 말고, 그것을 선택하고 난 후에 벌어지는 일까지 멀리 내다보아야 한다고 하였습니다.

3 현솔이가 선택한 것은 축구를 하는 것이고, 포기한 것은 농구를 하는 것이므로 현솔이의 선택에서 기회비용은 포기한 농구를 했을 때 얻을 수 있었던 이득입니다.

4 포기한 것으로부터 얻을 수 있었던 이득을 기회비용이라고 한다고 하였고, 후회하지 않는 선택을 하려면 기회비용이 더 적은 것을 선택해야 한다고 하였습니다.

034쪽 · 똑똑한 하루 독해 **어휘**

1 (1) 가치 (2) 손실
2 (1) 눈꼬리 (2) 강냉이 (3) 봉선화

1 (1) '값어치'는 '사물이 지니고 있는 쓸모.'라는 뜻의 '가치'와 뜻이 비슷한 말입니다.

(2) '이득'은 '잃거나 줄어서 입는 손해.'라는 뜻의 '손실'과 뜻이 반대인 말입니다.

(**왜 틀렸을까?**)
'이익'은 '이롭거나 보탬이 되는 것.'이라는 뜻의 낱말이므로 '이득'과 뜻이 비슷한 말입니다. (2)에는 '이득'과 뜻이 반대인 말을 써야 하므로 '이익'은 답이 될 수 없습니다.

2 (1) '눈초리'와 같은 뜻의 표준어는 '눈꼬리'입니다.
(2) '옥수수'와 같은 뜻의 표준어는 '강냉이'입니다.
(3) '봉숭아'와 같은 뜻의 표준어는 '봉선화'입니다.

(**더 알아보기**)
표준어
• 표준어란 한 나라의 표준으로 정한 말로, 우리나라에서는 교양 있는 사람들이 두루 쓰는 현대 서울말을 표준어로 정합니다.
• '교양 있는 사람들', '현대', '서울말'이라는 세 가지 원칙에 모두 맞아야 하며 하나라도 맞지 않으면 표준어가 될 수 없습니다.

표준어 예
• 머리 • 눈알

035쪽 · 똑똑한 하루 독해 **게임**

다솔이의 선택에서 기회비용은 (치마 , 바지 , 딸기 , 사과 , 물감 , 크레파스)을/를 선택했을 때 얻을 수 있었던 이득이다.

● 다솔이가 선택한 것은 바지, 딸기, 물감이고, 다솔이가 포기한 것은 치마, 사과, 크레파스입니다. 기회비용은 포기한 것으로부터 얻을 수 있었던 이득을 말하므로 다솔이의 선택에서 기회비용은 치마, 사과, 크레파스를 선택했을 때 얻을 수 있었던 이득이라고 할 수 있습니다.

5일

037쪽 똑똑한 하루 독해 **미리 보기**

❶ 표기   ❷ 부여

038쪽~**039**쪽 똑똑한 하루 독해

1 길을 찾기가 쉬워진다. 등   **2** ㉢
3 ❶ 도로명 주소 ❷ 표기

1 도로명 주소를 사용하면 길을 찾기가 쉬워진다고 하였습니다.

> **채점 기준**
> 길을 찾기가 쉬워진다는 내용이 들어가게 답을 썼으면 정답으로 합니다.

2 8차로 이상이면 '대로', 2차로에서 7차로까지는 '로', '로'보다 좁은 도로는 '길'로 구분한다고 하였으므로 '길'은 ㉢입니다.

> (왜 틀렸을까?)
> ㉠은 8차로이므로 '대로'이고, ㉡은 4차로이므로 '로'입니다.

3 이 글은 도로명 주소의 뜻, 도로명 주소의 표기 방법, 도로명 주소의 부여 방법에 대해 알려 주는 안내문입니다.

040쪽 똑똑한 하루 독해 **어휘**

1 (1) 붙이고 (2) 붙인
2 (1) 표기 (2) 부여 (3) 차로

1 제시된 문장에서는 두 번 모두 '이름이 생기게 하다.'라는 뜻의 '붙이다'를 써야 합니다.
2 (1) '문자나 기호를 써서 언어를 표시함.'이라는 뜻의 '표기'를 써야 합니다.
 (2) '사람에게 권리·명예·임무 따위를 지니도록 해 주거나, 사물이나 일에 가치·의의 따위를 붙여 줌.'이라는 뜻의 '부여'를 써야 합니다.

(3) '차가 한 줄로 정하여진 부분을 통행하도록 차선으로 구분한 찻길의 한 부분.'이라는 뜻의 '차로'를 써야 합니다.

041쪽 똑똑한 하루 독해 **게임**

🐰 도기는 가장 빠른 길인 경로 (1) ⬚1 을/를 선택했다. 4호선 산본역에서 지하철을 탄 후 금정역에서 (2) ⬚1 호선으로 갈아타서 독산역에 도착하면 마을버스 금천01-1번을 타는 경로이다.

◉ 경로 1~3 중 가장 빠른 길은 경로 1이고, 경로 1에는 지하철 4호선에서 1호선으로 갈아타는 과정이 있습니다.

042쪽~**043**쪽 **평가** 누구나 100점 테스트

1 (1) ◯   **2** (1) ② (2) ①
3 학습   **4** ②
5 청소부   **6** ㉢
7 ②   **8** 게임
9 (1) ◯   **10** 다솔

1 자 부인과 가위 각시는 둘 다 옷을 지을 때 자신의 공이 가장 크다는 의견을 말했습니다.

> (더 알아보기)
> **「규중칠우쟁론기」**
> 「아씨방 일곱 동무」는 「규중칠우쟁론기」라는 조선 시대의 작품을 어린이들이 읽기 쉽게 고쳐 쓴 이야기입니다. 「규중칠우쟁론기」에서는 바늘, 자, 가위, 인두, 다리미, 실, 골무 따위를 사람인 것처럼 표현하여 인간 사회를 재치 있게 비판하고 있습니다.

2 자 부인은 길이와 너비를 재는 일을 한다고 말했고, 가위 각시는 천을 오려 내는 일을 한다고 말했습니다.

더 알아보기

인물에 대한 자신의 의견과 그렇게 생각한 까닭 예
- 나는 '자'와 생각이 같아. 옷을 만들기 위해서는 가장 먼저 길이나 넓이 등을 재어야 하기 때문이야.
- '가위'의 말이 맞다고 생각해. 왜냐하면 커다란 천만 있으면 옷을 만들 수 없고, 조각으로 나누어 놓아야 바늘로 꿰맬 수 있기 때문이야.

3 '배워서 익힘.'이라는 뜻의 낱말은 '학습(배울 학 學, 익힐 습 習)'입니다.

4 이 글의 내용으로 보아 까마귀는 담배꽁초를 물어 가면 먹이를 얻을 수 있다는 사실을 이해할 만큼 영리하다는 것을 알 수 있습니다.

5 청소하는 것을 직업으로 하는 사람을 청소부라고 하기 때문에 까마귀가 담배꽁초를 줍는 것을 청소부 역할을 한다고 빗대어 말할 수 있습니다.

왜 틀렸을까?

과학자는 과학을 전문으로 연구하는 사람이고, 배달부는 배달을 직업으로 하는 사람이기 때문에 담배꽁초를 줍는 것을 과학자나 배달부 역할을 한다고 빗대어 말할 수 없습니다.

6 ⓒ'왠일인지'는 '웬일인지'로 고쳐 써야 합니다. '장난이 매우 심한 사람.'을 뜻하는 낱말은 '개구쟁이'라고 쓰는 것이 맞고, '자주 문제를 일으키는 말이나 행동을 하는 사람.'을 뜻하는 낱말은 '말썽꾸러기'라고 쓰는 것이 맞습니다.

7 이 시에서 말하는 이는 "제발 '하지 마. 하지 마.' 하지 마세요."라고 말하였습니다.

8 기회비용이란 포기한 것으로부터 얻을 수 있는 이득이기 때문에 게임을 포기하고 숙제를 선택했다면 포기한 게임을 했을 때 얻을 수 있었던 이득이 기회비용이 됩니다.

9 이 글에서는 도로명 주소의 뜻에 대해 알려 주고 있습니다.

10 이 글에서는 도로명 주소를 사용하면 길을 찾기가 쉬워진다고 했습니다.

044쪽~**049**쪽 　**특강** 창의·융합·코딩

1 ❶ 고용　❷ 꿀밤　❸ 부여
2 (1) ○
3 (2) ○
4 (1) 필수　(2) 끼거나　(3) 쓴
5 (1) ① 표 정　② 표 현
　　(2) 表 裏 不 同

1 1주에서 배운 낱말을 떠올리며 알맞은 답을 만화에서 찾아 써 봅니다.

2 코딩 명령 (1)을 따라가면 다음과 같습니다.

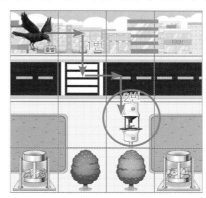

3 12시 15분에 15분을 더하면 12시 30분이 됩니다.

4 '필수'는 '꼭 있어야 하거나 하여야 함.', '착용'은 '옷, 모자, 신발, 액세서리 따위를 입거나, 쓰거나, 신거나 차거나 함.'이라는 뜻입니다.

5 (1) ① 표정(表情): 마음속에 품은 감정이나 정서 따위의 심리 상태가 겉으로 드러남. 또는 그런 모습.
　　② 표현(表現): 느낌이나 생각을 말, 글, 예술 작품 따위로 나타내는 것.
　(2) 빈칸에 들어갈 말은 表(겉 표) 자입니다.

더 알아보기

'表' 자가 들어간 낱말 예
- 표(表): 어떤 내용을 일정한 형식과 순서에 따라 보기 쉽게 나타낸 것.
- 표면(表面): 사물의 가장 바깥쪽. 또는 가장 윗부분.
- 표시(表示): 겉으로 드러내 보임.
- 표출(表出): 겉으로 나타냄.

052쪽~053쪽 | 2주에는 무엇을 공부할까? ❷

1-1 몸살   1-2 몸살
2-1 잔뜩   2-2 잔뜩

1-1~1-2 '몸이 몹시 피로할 때 걸리는, 온몸이 쑤시고 기운이 없고 열이 나는 병.'을 뜻하는 낱말은 '몸살'이라고 써야 합니다.

2-1~2-2 '한계에 이를 때까지 가득.'을 뜻하는 낱말은 '잔뜩'이라고 써야 합니다.

1일

055쪽   똑똑한 하루 독해 미리 보기

1 몸져눕자   2 홀로

056쪽~057쪽   똑똑한 하루 독해

1 (1) 성격 (2) 서럽게   2 ①, ④   3 끼니도 제대로 주지 않았기 때문이다. 등   4 ❶ 어머니 ❷ 약

1 (1) '성미'란 '성질, 마음씨, 버릇 따위를 이르는 말.'이고, '성격'이란 '개인이 가지고 있는 고유의 성질이나 품성.'을 뜻하는 말입니다.
  (2) '섧다'는 '화나고 억울하며 슬프다.'라는 뜻으로 '서럽다'와 뜻이 같은 낱말입니다.

2 옹고집의 말을 통해 어머니께 돈을 쓰는 것을 아까워하고, 돈을 가장 중요하게 생각하는 인물이라는 것을 알 수 있습니다.

3 옹고집은 어머니께 약을 지어 드리지 않고, 끼니도 제대로 챙겨 주지 않았습니다.

> **채점 기준**
> '끼니도 제대로 주지 않았기 때문이다.'라는 내용을 넣어 썼으면 정답으로 합니다.

4 늙은 어머니께서 몸져눕자 옹고집의 아내는 약이라도 지어 드리자고 했습니다.

058쪽   똑똑한 하루 독해 어휘

1 (1) 병환 (2) 드리다 (3) 여쭈다 (4) 주무시다
2 (1) 낳다 (2) 낫다   3 색깔

1 우리말에는 높임의 뜻이 있는 낱말이 있습니다. '병'의 높임말은 '병환', '주다'의 높임말은 '드리다', '묻다'의 높임말은 '여쭈다', '자다'의 높임말은 '주무시다'입니다.

2 (1) '개가 새끼 강아지 다섯 마리를 몸 밖으로 내놓다.'의 의미가 되어야 문장이 자연스러우므로 '낳다'가 들어가는 것이 알맞습니다.
  (2) '병이 씻은 듯이 고쳐져 본래대로 되다.'라는 의미가 되어야 문장이 자연스러우므로 '낫다'가 들어가는 것이 알맞습니다.

3 우리말에는 색깔을 나타내는 말이 다양합니다. 빨간색을 표현하는 낱말이지만 '빨갛다', '뻘겋다', '새빨갛다', '시뻘겋다', '빨그스레하다' 등 빨간색을 표현하는 낱말이 매우 많습니다.

059쪽   똑똑한 하루 독해 게임

◐ 진짜 옹고집과 똑같이 생긴 옹고집을 찾습니다. 얼굴에 있는 점과 혹, 수염의 모양, 귀의 모양 등을 살펴 진짜 옹고집을 찾을 수 있습니다.

정답 및 해설

2일

061쪽 똑똑한 하루 독해 미리 보기

❶ 편식　　❷ 균형

062쪽~063쪽 똑똑한 하루 독해

1 (1) 가끔　(2) 버릇　　**2** 채소는 골라내고 등
3 ①, ④　　　**4** ❶ 편식 ❷ 비만

1 (1) '종종'은 '시간적·공간적 간격이 얼마쯤씩 있게.' 라는 뜻으로 '가끔'과 뜻이 같습니다.
　(2) '습관'은 '어떤 행위를 오랫동안 되풀이하는 과정에서 저절로 익혀진 행동 방식.'으로 '오랫동안 자꾸 반복하여 몸에 익어 버린 행동.'이라는 뜻의 '버릇'과 뜻이 비슷합니다.

〔 더 알아보기 〕
　뜻이 비슷한 낱말을 찾을 때에는 원래 쓰인 낱말의 자리에 다른 낱말을 바꾸어 넣어 보고, 문장의 뜻이 달라지지 않는지 확인해 봅니다.

2 글쓴이는 친구들이 밀가루로 만든 음식이나 고기반찬은 먹으면서 채소는 먹지 않는 모습에 대해 말하였습니다.

　　채점 기준
　　'채소는 골라낸다.'라는 내용을 넣어 썼으면 정답으로 합니다.

3 편식을 하면 균형 있게 자라기 어렵고 비만이 되기 쉽다고 하였습니다.

4 이 글에 나타난 글쓴이의 의견은 편식하는 습관을 버리고 음식을 골고루 먹자는 것입니다. 의견을 뒷받침하는 까닭으로는 편식을 하면 균형 있게 자라기 어렵고 비만이 되기 쉽다는 점을 들었습니다.

〔 더 알아보기 〕
　'첫째', '둘째' 등과 같이 차례를 나타내는 낱말에 주의하여 글을 읽으면 의견에 대한 까닭을 더욱 쉽게 찾을 수 있습니다.

064쪽 똑똑한 하루 독해 어휘

1 (1) 비만　(2) 섭취　(3) 균형　　**2** 반드시
3 짜장면

1 (1) '비만'이란 '살이 쪄서 몸이 뚱뚱함.'을 뜻합니다.
　(2) '섭취'란 '양분 따위를 몸속에 빨아들이는 일.'을 뜻합니다.
　(3) '균형'이란 '어느 한쪽으로 기울거나 치우치지 않고 고른 상태.'를 뜻합니다.

2 '반드시'는 '틀림없이 꼭.'이라는 뜻으로, 밖에 나갔다가 들어오면 틀림없이 꼭 손을 씻어야 한다는 뜻이 되도록 '반드시'를 쓰는 것이 알맞습니다.

〔 더 알아보기 〕
　'반드시'와 '반듯이'는 모두 [반드시]로 소리 납니다. 발음은 같지만 뜻이 전혀 다르므로 낱말의 뜻에 주의하여 써야 합니다.

3 우리말에는 같은 대상을 부르는 낱말 중 둘 이상의 낱말을 모두 표준어로 삼는 경우가 있습니다. '자장면'과 '짜장면', '소고기'와 '쇠고기'는 모두 표준어에 해당합니다.

〔 더 알아보기 〕
둘 이상의 낱말을 모두 표준어로 삼는 경우 예
・맨날 / 만날　　　　・간지럽히다 / 간질이다
・가엾다 / 가엽다　　・이쁘다 / 예쁘다

065쪽 똑똑한 하루 독해 게임

예 쌀밥, 두부조림, 사과, 호두, 버섯볶음

◉ 우리 몸에 꼭 필요한 영양소에는 탄수화물, 지방, 단백질, 비타민·무기질 등이 있습니다. 표를 보고 모든 영양소를 섭취할 수 있도록 뷔페에 있는 음식을 골라 봅니다. 기름에 구운 음식인 '버섯볶음', '감자볶음', '생선 구이', '두부조림'에는 지방이 포함되어 있습니다.

067쪽

똑똑한
하루 독해 미리 보기

❶ 감쪽같이 　❷ 항아리

068쪽~069쪽

똑똑한
하루 독해

1 (1) ○ 　　**2** ⑤ 　　**3** 딸 이름을 부르면 등

4 ❶ 꽃담이 　❷ 뚜껑

1 세수하러 욕실에 들어간 딸 꽃담이가 감쪽같이 사라졌고, 초록 고양이가 나타나 40개의 항아리 중에서 꽃담이가 어디에 있는지 찾아보라고 하였습니다.

2 꽃담이 엄마는 갑자기 사라진 꽃담이가 걱정되었을 것입니다.

3 초록 고양이는 꽃담이 엄마가 항아리 안에 들어 있는 꽃담이를 찾을 때 항아리의 뚜껑을 열어 봐서도 안 되고, 꽃담이의 이름을 불러서도 안 된다고 하였습니다.

> **채점 기준**
> 딸 이름을 부르면 안 된다는 내용으로 썼으면 정답으로 합니다.

4 어느 날 초록 고양이가 꽃담이를 데려갔습니다. 초록 고양이는 꽃담이 엄마에게 항아리의 뚜껑을 열어 보지 말고, 꽃담이의 이름을 부르지 말라는 조건을 들며 꽃담이가 든 항아리를 찾아보라고 하였습니다.

070쪽

똑똑한
하루 독해 어휘

1 키득키득, 깔깔 　　**2** 신발 　　**3** ㉠

1 '흉내 내는 말'이란 사람이나 사물의 소리나 모양을 나타내는 말을 뜻합니다. '낄낄', '키득키득', '깔깔'은 모두 웃는 소리 또는 웃는 모양을 뜻하는 말입니다.

> **(왜 틀렸을까?)**
> • **탁탁**: 단단한 물건을 자꾸 두드리거나 먼지 따위를 터는 소리. 또는 그 모양.
> • **콩콩**: 작고 가벼운 물건이 자꾸 바닥이나 물체 위에 떨어지거나 부딪쳐 나는 소리.
> • **쿵쾅**: 발로 마룻바닥을 구를 때 나는 소리.

2 장화, 운동화, 구두, 슬리퍼의 공통점을 찾아봅니다. 이들은 모두 신발의 종류로 이 낱말들을 모두 포함할 수 있는 낱말은 '신발'입니다.

3 '자연적으로 땅이나 바위가 안으로 깊숙이 패어 들어간 곳.'을 뜻하는 '굴'은 길게 발음하고, '굴과의 연체동물.'을 뜻하는 먹는 '굴'은 짧게 발음합니다.

> **(더 알아보기)**
> **길게 소리 나는 낱말과 짧게 소리 나는 낱말 더 알아보기** 예
> ┌ **밤ː** 밤나무의 열매.
> └ **밤** 해가 져서 어두워진 때부터 다음 날 해가 떠서 밝아지기 전까지의 동안.
> ┌ **말ː** 사람의 생각이나 느낌 따위를 표현할 때 쓰는 것.
> └ **말** 동물의 한 종류.
> ┌ **눈ː** 하늘에서 내리는 얼음의 결정체.
> └ **눈** 빛의 자극을 받아 물체를 볼 수 있는 기관.

071쪽

똑똑한
하루 독해 게임

◎ ◖은 '초', ♠은 '록', ◆은 '색'을 나타내는 기호로 엄마가 초록색 항아리에 들어 있다는 것을 알 수 있습니다. 그림 속에서 초록색 항아리를 찾아 ○표를 합니다.

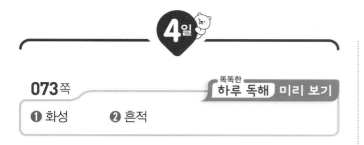

073쪽 · 똑똑한 **하루 독해** 미리 보기

❶ 화성　　❷ 흔적

074쪽~**075**쪽 · 똑똑한 **하루 독해**

1 비록　　**2** ④　　**3** (1) 지구와 비슷하기 등

(2) 바람이 많이 불기 등　　**4** ❶ 물　❷ 바람

1 '지구처럼 바다가 있는 것은 아니지만'이라는 말과 어울리는 말을 찾아봅니다. '비록'은 '아무리 그러하더라도.'라는 뜻으로 뒤에 '-ㄹ지라도', '-지만'과 같은 말이 이어서 나옵니다.

〔 왜 틀렸을까? 〕
· **만약**: '혹시 있을지도 모르는 뜻밖의 경우에.'라는 뜻으로 뒤에 '~(라)면'과 같은 말이 옵니다.
· **왜냐하면**: '왜 그러냐 하면.'이라는 뜻으로 뒤에 '~ 때문이다.'라는 말이 옵니다.

2 과학자들이 화성에 생물이 있을지도 모른다고 생각했던 것은 물이 있었던 흔적이 있었기 때문입니다.

3 화성이 사람이 살 만한 곳이라고 보는 까닭은 화성에 물이 있고, 하루의 길이와 계절의 변화가 지구와 비슷하고, 화성에 바람이 많이 불기 때문입니다.

　　채점 기준
　　(1)에는 '지구와 비슷하기', (2)에는 '바람이 많이 불기'와 같은 내용을 썼으면 정답으로 합니다.

4 화성에는 물이 있고, 하루의 길이와 계절의 변화가 지구와 비슷하고, 바람이 많이 불기 때문에 화성은 지구 다음으로 인간이 살 수 있는 곳이라고 하였습니다.

076쪽 · 똑똑한 **하루 독해** 어휘

1 (2) 무　(3) 무자비　(4) 무감각　　　**2** (2) ○
3 ❶ 바람　❷ 물

1 낱말 앞에 '무(無)' 자가 붙어 뜻이 반대가 되는 낱말이 있습니다. '생물↔무생물', '책임↔무책임', '자비↔무자비', '감각↔무감각'이 서로 뜻이 반대되는 낱말입니다.

〔 더 알아보기 〕
'무(無)' 자 외에도 낱말 앞에 '비(非)'와 '불(부)(不)' 자를 붙여 뜻이 반대되게 하는 말이 있습니다.
　　예 공식 ↔ 비공식, 무장 ↔ 비무장, 도덕 ↔ 부도덕, 정확 ↔ 부정확, 가능 ↔ 불가능

2 '하지만'은 서로 일치하지 아니하거나 상반되는 사실을 나타내는 두 문장을 이어 줄 때 쓰는 말로 '하지만' 대신에 들어갈 수 있는 말은 '그러나'입니다. 물이 있으면 생물이 살기 좋다는 앞 문장의 내용과 어떤 생물도 찾을 수 없었다는 내용은 서로 반대되는 내용이므로 '하지만', '그러나'와 같은 이어 주는 말이 들어가야 합니다.

〔 더 알아보기 〕
· **그래서**: 앞의 일로 뒤의 일이 일어날 때 이어 주는 말
· **그러나**: 앞뒤의 일이 서로 반대될 때 이어 주는 말
· **그리고**: 앞뒤의 일을 나란히 이어 주는 말

3 태양 에너지는 태양을, 풍력 에너지는 바람을, 수력 에너지는 물을 에너지원으로 이용하는 에너지입니다.

077쪽 · 똑똑한 **하루 독해** 게임

태양

◯ 다섯 가지 질문에 대한 답을 보며 사진을 살펴봅니다. 긴 꼬리가 있지 않다고 하였으므로, '혜성'은 답이 아닙니다. 둥근 모양이라고 하였으므로, '소행성'은 답이 아닙니다. 사람이 살 수 있지 않다고 하였으므로 '지구'는 답이 아닙니다. 고리가 있지 않다고 하였으므로 '토성'은 답이 아닙니다. 붉은색이라고 하였으므로 답은 '태양'입니다.

5일

079쪽 · 똑똑한 하루 독해 미리 보기

❶ 소음 ❷ 플러그 ❸ 감전

080쪽~081쪽 · 똑똑한 하루 독해

1 ③, ④ 2 바람의 세기를 쉽게 조절할 수 있다. 등
3 (3) ○ 4 ❶ 전원 ❷ 젖은 ❸ 감전

1 사용 설명서에 드라이어의 가격과 이 드라이어를 만든 회사에 대한 내용은 나와 있지 않습니다.

〔 왜 틀렸을까? 〕
① **제품의 이름**: 모발 지킴이 드라이어
② **제품의 특징**: 머리를 상하지 않게 합니다. 소음이 거의 없습니다. 바람의 세기를 쉽게 조절할 수 있습니다.
⑤ **제품을 사용할 때의 주의 사항**: 사용한 다음에는 전원 플러그를 뽑습니다. 젖은 손으로 절대 사용하지 않습니다. 물기가 많은 곳에서 사용하면 감전 위험이 있습니다.

2 모발 지킴이 드라이어의 특징을 살펴봅니다.

채점 기준
'바람의 세기를 쉽게 조절할 수 있다.'라는 내용을 썼으면 정답으로 합니다.

3 젖은 손으로 절대 사용하지 말라고 하였으므로, 머리를 감은 뒤 손을 마른 수건으로 잘 닦고 사용한 세연이가 드라이어를 바르게 사용한 것입니다.

〔 왜 틀렸을까? 〕
(1): 물기가 많은 곳에서 사용하면 감전의 위험이 있다고 하였으므로 욕실에서 사용하면 안 됩니다.
(2): 드라이어를 사용한 다음에는 전원 플러그를 뽑으라고 하였으므로, 사용한 다음 플러그를 콘센트에 그대로 꽂아 둔 것은 잘못한 것입니다.

4 드라이어를 사용할 때의 주의 사항을 보고 그림과 관련지어 빈칸에 알맞은 말을 넣어 정리합니다.

082쪽 · 똑똑한 하루 독해 어휘

1 (1) 이 (2) 절름발이 2 (3) ○

1 (1) '똑똑이'는 '똑똑'과 '이'가 만난 낱말로, '똑똑한 아이.'라는 뜻입니다.
(2) '절름발'은 '걸을 때에 절름거리는 발.'을 뜻하고 그러한 사람이나 사물을 뜻하는 '이'가 만나 '다리를 저는 사람.'을 뜻하는 '절름발이'가 되었습니다.

〔 더 알아보기 〕
• '**애꾸눈이**': 한쪽 눈이 먼 사람을 낮잡아 이르는 말.
• '**멍청이**': 슬기롭지 못하고 머리가 둔한 사람을 놀림조로 이르는 말.

2 '머리'는 여러 가지 뜻을 지닌 낱말입니다. 머리를 상하지 않게 한다는 것으로 보아, '머리카락의 결을 손상시키지 않는다.'라는 뜻으로 쓰였음을 알 수 있습니다.

083쪽 · 똑똑한 하루 독해 게임

내려간다

◉ 손수건에 묻은 물이 드라이어의 바람에 의해 수중으로 날아가면서 주변의 열을 빼앗았기 때문에 주변의 열을 잰 온도계의 온도는 내려갑니다.

084쪽~085쪽 · 평가 누구나 100점 테스트

1 드려야죠 2 서윤 3 ③
4 (1) ⓒ (2) ㉠, ㉡ 5 (3) ○ 6 ㉢
7 걱정스러운 8 물 9 드라이어
10 (2) ×

1 '주다'의 높임 표현은 '드리다'입니다. '줘야죠'를 '드려야죠'로 고쳐 써야 합니다.

〔 더 알아보기 〕
높임 표현을 사용하는 방법
• '-습니다/요'를 써서 문장을 끝맺습니다.
㉠ 학교에 다녀왔습니다. / 할머니, 식사하세요.

- 높임을 나타내는 '-시-'를 넣습니다.

  예 선생님께서도 여기로 오시니?

- 높임의 대상에게 '께서'나 '께'를 사용합니다.

  예 할아버지께서 오셨어. / 할머니께 선물을 드릴게요.

- 높임의 뜻이 있는 특별한 낱말을 사용합니다.

  예 밥 – 진지, 물어볼 – 어쭈어볼, 나이 – 연세, 있다 – 계시다, 생일 – 생신, 말 – 말씀

2 ㉡의 말 "약 지을 돈이 어디 있소? 매번 저러다 나으시니 또 저절로 낫겠지."를 통해 옹고집은 돈을 가장 중요하게 생각한다는 것을 알 수 있습니다.

3 글쓴이는 두 가지 까닭을 들어서 편식하는 습관을 버리고 음식을 골고루 먹자는 의견을 말하고 있습니다.

4 ㉠과 ㉡은 글쓴이의 의견에 대한 까닭에 해당하고, ㉢은 글쓴이의 의견에 해당합니다.

5 '편식하는 습관을 버리고 음식을 골고루 먹자.'라는 글쓴이의 의견을 통해서 '음식을 골고루 먹어요'라는 제목이 어울립니다.

6 '흙으로 배가 불룩하게 빚어 구운 그릇.'이라는 뜻의 낱말은 '항아리'입니다.

【 왜 틀렸을까? 】

- ㉠ '욕실'은 '목욕할 수 있도록 시설을 갖춘 방.'이라는 뜻 입니다.
- ㉡ '동굴'은 '자연적으로 생긴 깊고 넓은 큰 굴.'이라는 뜻 입니다.

7 꽃담이 엄마는 사라진 꽃담이를 찾아야 하는 상황에서 걱정스러운 마음이 들었을 것입니다.

【 왜 틀렸을까? 】

  자랑스러운 마음은 남에게 드러내어 뽐낼 만한 데가 있을 때 드는 마음입니다.

8 과학자들은 화성에 물이 있기 때문에 사람이 살 만한 곳이라고 보고 있습니다.

9 제품 이름과 사용할 때의 주의 사항을 통해 드라이어 사용 설명서라는 것을 알 수 있습니다.

10 드라이어를 사용한 다음에는 전원 플러그를 뽑아 달라고 하였습니다.

086쪽~**091**쪽  **특강** 창의·융합·코딩

1 ❶ 균형 ❷ 감쪽같이 ❸ 흔적
2 ❷ 2 ❸ 3
3 20,000
4 (1) 들어온 (2) 나간 (3) 남은
5 (1) ① 병 문 안 ② 병 간 호

  (2) 同 病 相 憐

1 2주에서 배운 낱말을 떠올리며 알맞은 답을 만화에서 찾아 써 봅니다.

2 옹고집의 말을 따라가면 다음과 같습니다.

3 희수가 가지고 있는 돈이 50,000원이고, 사고 싶은 드라이어의 가격은 30,000원이므로, '50,000−30,000=20,000'입니다.

4 '수입'은 '돈이나 물품 따위를 거두어들임. 또는 그 돈이나 물품.'을 뜻하므로 수입에는 들어온 돈을 적어야 하고, '지출'은 '어떤 목적을 위하여 돈을 지급하는 일.'을 뜻하므로 지출에는 나간 돈을 적어야 하며, '잔액'은 '나머지 액수.'를 뜻하므로 수입에 적힌 돈은 더하고 지출에 적힌 돈은 빼서 남은 돈을 잔액에 적어야 합니다.

5 (1) ① 병문안(病問安): 앓고 있는 사람을 찾아가서 병세를 알아보고 위안하는 일.

    ② 병간호(病看護): 앓는 사람을 잘 보살핌.

  (2) 빈칸에 들어갈 말은 '病(병들 병)' 자입니다.

094쪽~095쪽 | 3주에는 무엇을 공부할까? ❷

1-1 허름한   1-2 허름한
2-1 (1) ○   2-2 개선

1-1~1-2 '허름한 다락방', '허름한 빈집'처럼 '허름하다'는 장소나 물건, 옷차림 등이 좀 낡고 헌 듯한 것을 뜻합니다.

2-1 '개표'는 투표함을 열고 투표의 결과를 알아보는 것을 뜻하는 낱말입니다. 남북 관계를 더 좋게 만든다는 의미로 빈칸에는 '개선'이 들어가야 합니다.

2-2 '개선'의 '개'를 '게'나 '계'로 쓰지 않도록 주의합니다.

097쪽 | 똑똑한 하루 독해 미리 보기

❶ 으스대던   ❷ 전설

098쪽~099쪽 | 똑똑한 하루 독해

1 (1) 혼인 (2) 뽐내다   2 더 예쁘다고 사람들에게 자랑을 했기 때문이다. 등
❷ 의자   3 ⑤   4 ❶ 네레이스

1 (1) '결혼'은 '남녀가 정식으로 부부 관계를 맺음.'이라는 뜻으로, '남자와 여자가 부부가 되는 일.'을 뜻하는 '혼인'과 비슷한 말입니다.
  (2) '으스대다'는 '어울리지 않게 우쭐거리며 뽐내다.'라는 뜻으로, '자신의 어떠한 능력을 보라는 듯이 자랑하다.'라는 뜻의 '뽐내다'와 비슷한 낱말입니다.

2 카시오페이아 왕비가 자신과 딸이 바닷속 요정 네레이스보다 더 예쁘다고 사람들에게 자랑을 하고 다녀서 이를 들은 포세이돈이 화가 났습니다.

> **채점 기준**
> '더 예쁘다고 자랑을 하여서'라는 내용이 들어가면 정답으로 합니다.

3 카시오페이아 왕비가 반나절 동안 의자에 앉혀진 채 하늘에 거꾸로 매달리는 벌을 받는 모습이 지금의 카시오페이아자리가 되었습니다.

4 카시오페이아 왕비는 자신과 딸이 바닷속 요정 네레이스보다 더 예쁘다고 자랑을 하고 다닌 벌로 반나절 동안 의자에 앉혀진 채 하늘에 거꾸로 매달리는 벌을 받게 되었고, 그것이 지금의 카시오페이아자리가 되었습니다.

100쪽 | 똑똑한 하루 독해 어휘

1 ⑤   2 (2) ○   3 (1) 하늘 (2) 별 (3) 자리

1 '밝은'과 '어두운'은 서로 뜻이 반대인 낱말입니다. '달다'와 '쓰다', '위'와 '아래', '크다'와 '작다', '가깝다'와 '멀다'도 서로 뜻이 반대인 낱말이지만 '앉다'와 '내려가다'는 서로 관계없는 낱말입니다.

2 '하늘에 거꾸로 매달리는 벌을 받았다.'에서 '벌'은 '잘못하거나 죄를 지은 사람에게 주는 고통.'이라는 뜻입니다. (1)의 '벌'은 '꿀벌과의 곤충.'에 해당합니다.

3 '밤하늘'은 '밤의 하늘.'이라는 뜻으로 '밤'과 '하늘'이 만나서 한 낱말이 되었습니다. '별자리'는 '별을 몇 개씩 이어서 이름을 붙인 것.'이라는 뜻으로 '별'과 '자리'가 만나서 한 낱말이 되었습니다.

101쪽 | 똑똑한 하루 독해 게임

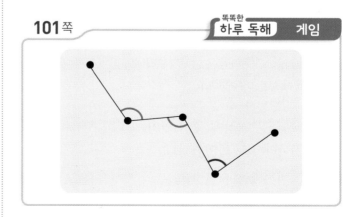

◉ 직각보다 폭이 좁은 각은 파란색으로, 직각보다 폭이 넓은 각은 빨간색으로 표시합니다.

103쪽 〔똑똑한 하루 독해 미리 보기〕

1 기호 **2** 지도

104쪽~105쪽 〔똑똑한 하루 독해〕

1 (1) 해 결 할 수 있 어 .

(2) 산 이 있 는 것 을

2 (1) 멈추라는 뜻이에요. 등 (2) 움직이라는 뜻이에요. 등

3 ①, ② **4** ❶ 기호 ❷ 한눈

1 '수', '것'과 같은 말은 한 낱말로, 앞말과 반드시 띄어 씁니다.

〔 더 알아보기 〕

'수', '것'과 같이 문장 안에서 홀로 쓰이지 못하고 앞 낱말에 기대어 쓰이는 낱말에는 '따름', '줄', '척', '바' 등이 있습니다. 이러한 낱말은 반드시 앞말과 띄어 씁니다.

⑩ • 나는 너만 믿을 <u>따름</u>이다.
　• 너는 할 <u>줄</u> 아는 게 뭐니?
　• 숙제가 하기 싫어서 아픈 <u>척</u>을 했다.
　• 나는 맡은 <u>바</u>에 책임을 다한다.

2 신호등의 빨간색은 멈추라는 약속이고, 초록색은 움직이라는 약속입니다.

> **채점 기준**
> (1)에는 '멈추다', (2)에는 '움직이다'라는 내용을 넣어 썼으면 정답으로 합니다.

3 지도에 그림 대신 기호를 이용하면 지도를 단순하게 그릴 수 있고, 한눈에 알아보기 쉽습니다.

〔 더 알아보기 〕

지도에 약속한 기호를 사용하지 않고, 그림을 그려 넣으면, 매우 복잡해서 한눈에 알아볼 수 없다는 문제점이 있습니다.

4 지도에는 사람들이 약속해 놓은 기호를 그려 넣는데, 이 기호를 사용하면 지도를 단순하게 그릴 수 있고, 한눈에 알아보기 쉽습니다.

106쪽 〔똑똑한 하루 독해 어휘〕

1 (1) 뒤 (2) 빼다 (3) 단순하다 (4) 멈추다
2 (1) ② (2) ③ (3) ①

정답 및 해설

1 (1) '앞'은 '향하고 있는 쪽이나 곳.'이라는 뜻이고, '뒤'는 '향하고 있는 방향과 반대되는 쪽이나 곳.'이라는 뜻으로 서로 뜻이 반대인 낱말입니다.

(2) '더하다'는 '더 보태어 늘리거나 많게 하다.'라는 뜻이고, '빼다'는 '전체에서 일부를 제외하거나 덜어 내다.'라는 뜻으로 서로 뜻이 반대인 낱말입니다.

(3) '복잡하다'는 '복작거리어 혼잡스럽다.'라는 뜻이고, '단순하다'는 '복잡하지 않고 간단하다.'라는 뜻으로 서로 뜻이 반대인 낱말입니다.

(4) '움직이다'는 '멈추어 있던 자세나 자리가 바뀌다. 또는 자세나 자리를 바꾸다.'라는 뜻이고, '멈추다'는 '사물의 움직임이나 동작이 그치다.'라는 뜻으로 서로 뜻이 반대인 낱말입니다.

2 (1) 갑자기 세찬 비가 내린 것과 찬바람이 분 것은 앞의 내용과 뒤의 내용이 나란히 연결될 수 있는 내용이므로 '그리고'를 넣는 것이 알맞습니다.

(2) 내 생일잔치에 친구들을 초대하였지만 아무도 오지 않은 것은 앞의 내용과 뒤의 내용이 서로 반대되는 상황이므로 '그러나'를 넣는 것이 알맞습니다.

(3) 그림지도는 한눈에 알아보기 복잡하다는 문제점 때문에 기호를 만들었으므로, 앞의 내용이 뒤의 내용의 원인이 될 때 쓰는 말인 '그래서'를 넣는 것이 알맞습니다.

107쪽 〔똑똑한 하루 독해 게임〕

L O V E

◉ 모스 부호 해독표를 보면 26개의 알파벳은 모두 다른 •(점)과 —(대시)의 조합으로 이루어져 있습니다. 듬이가 받아 적은 네 개의 모스 부호는 '• — • •', '— — —', '• • • —', '•'으로 이를 각각 모스 부호 해독표에서 찾으면 LOVE라는 글자가 나옵니다.

3일

109쪽 · 똑똑한 하루 독해 **미리 보기**

❶ 조각상 ❷ 산기슭 ❸ 다락방

110쪽~111쪽 · 똑똑한 하루 독해

1 (1) 제비 (2) (행복한) 왕자 / 조각상 등 **2** ⑤
3 자신의 눈에 박혀 있는 푸른 보석을 떼어 등
4 ❶ 보석 ❷ 제비

1 이 이야기에는 제비와 행복한 왕자가 등장합니다.

2 인물의 말과 행동을 통해 성격을 알 수 있습니다. 자신의 칼자루와 눈에 박힌 보석을 빼어 불쌍한 이웃을 도와주는 모습에서 남을 잘 돕는 성격이라는 것을 알 수 있습니다.

(**더 알아보기**)

제비의 성격 알아보기
　왕자의 부탁을 받고 불쌍한 사람들에게 보석을 전달해 준 제비의 행동을 통해 제비도 마음이 따뜻하고 착하다는 것을 짐작할 수 있습니다.

3 행복한 왕자는 제비에게 자신의 칼자루에 박힌 붉은 보석을 뽑아서 병든 아이의 엄마에게 가져다주라고 하였고, 눈에 박혀 있는 푸른 보석을 떼어 며칠째 굶고 있는 남자에게 가져다주라고 부탁하였습니다.

　　채점 기준
　　'자신의 눈에 박혀 있는 푸른 보석을 떼어'라는 내용을 넣어 썼으면 정답으로 합니다.

4 마음이 따뜻하고 정이 많은 행복한 왕자는 불쌍하고 어려운 이웃을 돕기 위해 자신의 칼자루와 눈에 박힌 보석을 빼서 이웃에게 가져다주라고 제비에게 부탁하였습니다.

112쪽 · 똑똑한 하루 독해 **어휘**

1 ④ **2** (2) 다발 (3) 포기 (4) 손 (5) 톨

1 '한'은 '정확한' 또는 '한창인'이라는 뜻을 더하는 말입니다. '한라산'은 '한라+산'의 짜임으로 산의 이름을 가리키는 말입니다.

(**왜 틀렸을까?**)

① **한낮**: 낮의 한가운데. 곧, 낮 열두 시를 전후한 때를 이름.
② **한밤**: 깊은 밤.
③ **한여름**: 더위가 한창인 여름.
⑤ **한겨울**: 추위가 한창인 겨울.

2 제비, 꽃, 배추, 고등어, 쌀을 세는 낱말을 각각 찾아봅니다.

(**왜 틀렸을까?**)

• **톨**: 밤이나 곡식의 낱알을 세는 단위.
• **손**: 한 손에 잡을 만한 분량을 세는 단위. 조기, 고등어, 배추 따위 한 손은 큰 것 하나와 작은 것 하나를 합한 것을 이르고, 미나리나 파 따위 한 손은 한 줌 분량을 이름.
• **다발**: 꽃이나 푸성귀, 돈 따위의 묶음.
• **포기**: 뿌리를 단위로 한 초목의 낱개를 세는 단위.
• **마리**: 짐승이나 물고기, 벌레 따위를 세는 단위.

113쪽 · 똑똑한 하루 독해 **게임**

◎ 아픈 여자아이를 간호하는 엄마가 보이는 집을 찾아 ○표를 합니다.

4일

115쪽   똑똑한 **하루 독해** 미리 보기

❶ 시차   ❷ 표준시   ❸ 회담

116쪽~117쪽   똑똑한 **하루 독해**

1 ④   **2** ❶ 일본 ❷ 평양
3 남북 관계를 개선하겠다는 의지 등
4 ❶ 시차 ❷ 개선

1 '같다'는 '서로 다르지 아니하고 하나이다.'라는 뜻입니다. '같다'와 뜻이 반대인 낱말은 '다르다'입니다.

〔 왜 틀렸을까? 〕
① **옳은**: 사리에 맞고 바른.
② **맞은**: 문제에 대한 답이 틀리지 않은.
③ **틀린**: 셈이나 사실 따위가 그르게 되거나 어긋난.
⑤ **비슷한**: 두 개의 대상이 크기, 모양, 상태, 성질 따위가 똑같지는 아니하지만 전체적 또는 부분적으로 일치하는 점이 많은 상태에 있는.

2 남한과 북한은 일본의 도쿄를 기준으로 같은 표준시를 쓰고 있었는데, 북한이 2015년 8월 15일부터 일본과 같은 표준시를 쓰지 않겠다며 평양 표준시를 채택하면서 남한과 시차가 생기게 되었습니다.

3 북한이 남한과 표준시를 맞춘 것은 남북 관계를 개선하겠다는 의지를 나타낸 것으로 볼 수 있습니다.

　　채점 기준
　　'남북 관계를 개선하겠다는 의지'라는 내용을 넣어 썼으면 정답으로 합니다.

4 2018년 4월 27일 남북 정상 회담으로 이전에 있었던 남한과 북한의 시차가 사라졌습니다. 이것은 북한이 남한과의 관계를 개선하겠다는 의지를 나타낸 것으로 볼 수 있습니다.

118쪽   똑똑한 **하루 독해** 어휘

1 수도   **2** 이르다   **3** (2) ○

1 한국과 서울의 관계, 일본과 도쿄의 관계에서 공통점을 살펴봅니다. 서울은 한국의 수도이고, 도쿄는 일본의 수도입니다.

〔 더 알아보기 〕
수도의 뜻
'한 나라의 중앙 정부가 있는 도시.'를 뜻합니다.

2 '북한이 남한보다 30분 늦다.'에서 '늦다'는 '기준이 되는 때보다 뒤져 있다.'라는 뜻으로 반대말은 '이르다'입니다. '이르다'는 '기준을 잡은 때보다 앞서거나 빠르다.'라는 뜻입니다.

〔 왜 틀렸을까? 〕
• **짧다**: 잇닿아 있는 공간이나 물체의 두 끝의 사이가 가깝다.
• **길다**: 잇닿아 있는 물체의 두 끝이 서로 멀다.
• **급하다**: 시간의 여유가 없어 일을 서두르거나 다그쳐 매우 빠르다.

3 남북 정상 회담에서 '정상'이란 '한 나라의 가장 중요한 자리의 인물.'이라는 뜻입니다.

〔 더 알아보기 〕
'정상'의 여러 가지 뜻 예
• 산 따위의 맨 꼭대기. 예 지리산 정상에 올랐다.
• 그 이상 더없는 최고의 상태. 예 인기 정상의 가수

119쪽   똑똑한 **하루 독해** 게임

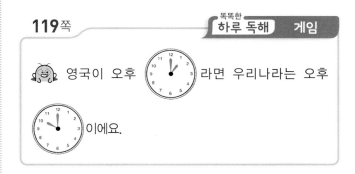

영국이 오후　　　라면 우리나라는 오후

　　　이에요.

◉ 그리니치 천문대가 있는 노란색 칸을 기준으로 오른쪽으로 한 칸씩 이동할수록 한 시간씩 늘어난다고 하였습니다. 우리나라는 오른쪽으로 9칸을 이동한 곳에 있으므로 영국과 9시간의 시차가 난다는 것을 알 수 있습니다.

5일

121쪽 · 똑똑한 하루 독해 **미리 보기**

❶ 안내　　❷ 행사

122쪽~123쪽 · 똑똑한 하루 독해

1 (1) ○　　2 두 시에 놀이공원 중앙 광장 등

3 ❶ 튤립　❷ 두(2)　❸ 분수대

1 안내 방송을 끝낸다는 내용으로 쓴 것이므로 '마치 겠습니다.'가 들어가야 알맞습니다.

> **〔 왜 틀렸을까? 〕**
>
> '마치다'와 '맞히다'의 뜻을 구별하는 문제입니다. '마치다'는 '어떤 일이나 과정, 절차 따위가 끝나다.', '맞히다'는 '문제에 대한 답을 틀리지 않게 하다.'라는 뜻입니다.

2 도기는 각 나라의 의상이 어떻게 다른지 보고 싶다고 하였으므로, 도기에게 30여 개 나라의 의상을 볼 수 있는 의상 퍼레이드에 대하여 안내해 주어야 합니다.

> **채점 기준**
>
> '오후 두 시', '중앙 광장'이라는 낱말을 모두 넣어 도기에게 알맞게 말하였으면 정답으로 합니다.

3 안내 방송에서 행사에 대한 내용을 요약하여 정리해 봅니다. 튤립 페스티벌은 놀이공원 남문에 있는 '튤립 가든'에서 열린다고 하였고, 반려동물의 입장을 금지한다고 하였습니다. 여러 나라의 의상 퍼레이드는 오후 두 시부터 놀이공원 중앙 광장에서 시작한다고 하였습니다. 캐리커처 그리기 이벤트는 오후 네 시부터 놀이공원 정문 분수대에서 무료로 진행한다고 하였습니다.

124쪽 · 똑똑한 하루 독해 **어휘**

1 알록달록　　2 (1) 꽃　(2) 예 국화꽃

3 이벤트, 퍼레이드, 페스티벌

1 '얼룩덜룩'의 작은말은 '알록달록'입니다. 작은말은 큰말과 뜻은 같으나 표현상의 느낌이 작고, 가볍고, 밝게 들리는 말입니다. 모음 'ㅓ'보다는 'ㅏ'가, 'ㅜ'보다는 'ㅗ'가 작은 느낌을 줍니다.

2 안개꽃과 장미꽃의 공통점은 꽃의 종류로, (2)에는 또 다른 꽃의 종류를 쓰고, (1)에는 이 낱말들을 모두 포함할 수 있는 낱말인 '꽃'을 써야 합니다.

3 '가든', '이벤트', '퍼레이드', '페스티벌'은 모두 우리말로 바꾸어 써야 할 낱말입니다.

> **〔 더 알아보기 〕**
>
> '가든'은 '정원'으로, '이벤트'는 '행사'로, '퍼레이드'는 '행렬'로, '페스티벌'은 '축제' 등으로 바꾸어 쓸 수 있습니다.

125쪽 · 똑똑한 하루 독해 **게임**

튤립은 소녀에게 청혼한 세 남자가 바치겠다고 한 물건과 닮았어요. 튤립의 꽃은 (1) (왕관) 같고, 잎은 (2) (칼) 같고, 뿌리는 (3) (황금) 같은 모습이랍니다.

○ 튤립의 모습은 소녀에게 청혼한 세 남자가 바치겠다고 한 물건과 닮았습니다. 왕자가 바치려고 했던 왕관은 튤립의 꽃으로, 기사가 바치겠다고 한 칼은 튤립의 잎으로, 부자가 바치겠다고 한 황금은 튤립의 뿌리가 되어 지금의 모양이 되었다고 하였습니다.

126쪽~127쪽 · **평가** 누구나 100점 테스트

1 ⑤　　　2 카시오페이아자리　　　3 ②

4 (1) ①　(2) ③　(3) ④　(4) ②　　　5 원우

6 보석　　7 ④, ⑤　　8 (2) ○　　9 (2) ○

10 ①, ②, ④

1 에티오피아의 카시오페이아 왕비는 자신과 딸이 바닷속 요정 네레이스보다 더 예쁘다고 사람들에게 자랑했습니다.

왜 틀렸을까?

①: 바다의 신 포세이돈은 에티오피아 앞바다에 고래 괴물을 보내 매일 폭풍을 일으켰습니다.

②: 에티오피아의 왕은 나라를 구하기 위해 딸을 제물로 바쳤습니다.

③: 페르세우스는 고래 괴물을 물리치고 에티오피아의 공주와 결혼했습니다.

④: 에티오피아의 공주는 제물로 바쳐져 바위에 묶여 있다가 자신을 구한 페르세우스와 결혼했습니다.

2 카시오페이아 왕비는 의자에 앉혀진 채 하늘에 거꾸로 매달리는 벌을 받았고, 그 모습이 지금의 카시오페이아자리가 되었습니다.

3 '매일'은 '하루하루마다.'라는 뜻으로, 바꾸어 쓸 수 있는 말은 '날마다'입니다.

4 지도에서 기호 '▲'은 산을, '◎'은 시청을, '✖'은 우체국을, '▟'은 학교를 나타냅니다.

5 기호를 이용하면 지도를 단순하게 그릴 수 있고, 한눈에 알아보기도 쉽다고 하였습니다. 지도를 편하게 들고 다닐 수 있다는 내용은 글에 나오지 않습니다.

6 행복한 왕자는 자신의 칼자루에 박힌 붉은 보석을 뽑아 병든 아이가 사는 집에 가져다주라고 제비에게 부탁했습니다.

7 왕자의 부탁을 받고 불쌍한 사람을 도운 제비는 마음이 따뜻하고, 남의 부탁을 잘 들어줍니다.

8 남북 간에 30분의 시차가 있었지만 2018년 남북 정상 회담에서 북한이 남한과 같은 표준시를 쓰겠다고 하여 표준시를 맞춘 사실을 알리는 글이므로, 글쓴이가 말하고자 하는 내용은 남한과 북한이 시간을 통일했다는 것입니다.

9 ㉠'정상'은 '한 나라의 가장 중요한 자리의 인물.'을 뜻합니다. '정상'이 이와 같은 뜻으로 쓰인 문장은 (2)입니다. (1)의 문장에서 쓰인 '정상'은 '산 따위의 맨 꼭대기.'라는 뜻입니다.

10 안내 방송을 들으면 행사 시간이 오후 네 시부터이고, 행사 장소는 놀이공원 정문 분수대이며, 행사 내용은 무료 캐리커처 그리기라는 것을 알 수 있습니다.

128쪽~133쪽 **특강** 창의·융합·코딩

1 ❶ 통일 **❷** 전설 **❸** 참여
2 (1) ○
3 (1) 12, 20 (2) 1, 45 (3) 1, 25
4 (1) 물품 (2) 숨을 못 쉴 (3) 안 되는
5 (1) ① 장 소 ② 소 문 (2) 所 願 成 就

1 3주에서 배운 낱말을 떠올리며 알맞은 답을 씁니다.

2 코딩 명령 (1)을 따라가면 다음과 같습니다.

3 은결이가 튤립 가든에 들어가는 그림에서 시계는 12시 20분을 가리키고 있고, 나오는 그림에서는 1시 45분을 가리키고 있습니다. 그러므로 은결이는 1시간 25분 동안 튤립 가든을 방문했습니다.

4 '부품'은 '기계 따위의 어떤 부분에 쓰는 물품.'을 뜻하고, '질식'은 '숨통이 막히거나 산소가 부족하여 숨을 쉴 수 없게 됨.'을 뜻합니다. '미만'은 정한 수효나 정도에 차지 못하는 것이므로 '3세 미만 어린이'는 세 살이 안 되는 어린이입니다.

5 (1) ① 場所(장소): 어떤 일이 이루어지거나 일어나는 곳.
② 所聞(소문): 사람들 입에 오르내려 전하여 들리는 말.
(2) 빈칸에 들어갈 한자는 所(바 소) 자입니다.

136쪽~137쪽 | 4주에는 무엇을 공부할까? ❷

1-1 (2) ○　　　　　　1-2 생태계
2-1 피땀　　　　　　2-2 ㉢

1-1 (1)에 나온 '눈으로 볼 수 없는 아주 작은 생물.'은 '미생물'의 뜻입니다.

1-2 '생태계'의 '계'를 '개'로 잘못 썼으므로 바르게 고쳐 씁니다.

2-1 '피곤'은 '몸이나 마음이 지치어 고달픔.'의 뜻을 지닌 낱말입니다.

2-2 '피땀 흘려 모은 재산'은 아버지께서 재산을 모으기 위해 애쓰며 노력과 정성을 들였다는 의미이므로 ㉢이 알맞습니다.

139쪽 | 똑똑한 하루 독해 미리 보기

1 추억　　　　2 잠꾸러기

140쪽~141쪽 | 똑똑한 하루 독해

1 ⑤　　　　2 께 드렸습니다　　　　3 기쁜 마음이
다. / 행복한 기분이다. 등　　4 ❶ 파랑새 ❷ 할머니

1 치르치르와 미치르는 빛의 요정의 도움을 받아 추억의 나라, 밤의 궁전, 행복의 궁전, 미래의 나라 등을 여행하였다고 하였습니다.

2 주어진 문장을 할머니를 높이는 표현으로 고쳐 쓰려면 '에게'를 '께'로 고쳐 쓰고, '주었습니다'를 높임을 나타내는 말 '드렸습니다'로 고쳐 써야 합니다.

3 치르치르와 미치르는 그렇게 찾아 헤매도 찾을 수 없었던 파랑새를 드디어 찾게 되었습니다. ㉠에서 치르치르와 미치르는 기쁘고 행복했을 것입니다.

> **채점 기준**
> 파랑새를 찾아 기뻐하는 치르치르와 미치르의 마음에 알맞은 말을 답으로 썼으면 정답으로 합니다.

4 치르치르와 미치르는 파랑새를 찾아 여러 곳을 여행하였고, 자신들이 찾은 파랑새를 아픈 딸을 둔 할머니께 드렸습니다.

142쪽 | 똑똑한 하루 독해 어휘

1 (1) ② (2) ①　　　　2 (1) 장난 (2) 걱정

1 (1)의 문장에서 할머니는 치르치르가 기르던 새를 손가락 등으로 집어 말한 것이므로 '가리켰다'가 알맞습니다. (2)의 문장에서 선생님은 아이들에게 국어 과목의 지식을 깨닫게 하거나 익히게 한 것이므로 '가르쳤다'가 알맞습니다.

2 '장난꾸러기'는 '장난이 심한 아이. 또는 그런 사람.'을 뜻하는 낱말이고, '걱정꾸러기'는 '늘 걱정이 많은 사람을 낮잡아 이르는 말.'을 뜻하는 낱말입니다.

143쪽 | 똑똑한 하루 독해 게임

◉ 갈림길에 세워진 표지판 중에서 맞춤법이 알맞은 것은 순서대로 '옆집', '헤매다', '가리키다'입니다. 알맞은 낱말이 쓰인 표지판을 따라가며 파랑새를 찾아봅니다.

145쪽 　똑똑한 **하루 독해** 미리 보기

❶ 유통 기한 　❷ 하천 　❸ 오염

146쪽~**147**쪽 　똑똑한 **하루 독해**

1 유통 기한 　**2** 약국, 보건소 　　**3** 효과를 볼 수 없을지 모른다. 등 　　　　**4** ❶ 수거함 ❷ 건강

1 산 지 오래된 약을 먹어도 되는지 궁금할 때에는 유통 기한이 언제까지인지를 살펴보고 기한을 넘지 않았다면 먹어도 됩니다.

2 유통 기한이 지났거나 먹다 남은 약은 반드시 약국이나 보건소에 설치된 수거함에 버리라고 하였습니다. 약국과 보건소는 모두 건강과 관련한 일을 맡아 하는 곳으로 버리는 약 수거함이 설치되어 있어서 약을 안전하게 버릴 수 있습니다.

> **【 왜 틀렸을까? 】**
> 도서관과 학교에 약을 버릴 수 있는 수거함이 있다는 내용은 없습니다.

3 약을 생각 없이 버리게 되면 하천이 약물에 의해 오염되고, 미생물 중 약에 내성이 생긴 미생물만 살아남게 된다고 하였습니다. 그리고 약 성분이 우리가 마시는 물로 돌아오면 우리 몸에 내성이 생겨 치료를 위해 약을 먹더라도 효과를 볼 수 없을지 모른다고 하였습니다.

> **채점 기준**
> 치료를 위해 약을 먹더라도 효과를 볼 수 없을지도 모른다는 내용을 넣어 답을 썼으면 정답으로 합니다.

4 유통 기한이 지났거나 먹다 남은 약을 버릴 때에는 반드시 약국이나 보건소에 설치된 수거함에 버려야 한다고 하였습니다. 그리고 이렇게 약품을 안전하게 처리하는 것이 결국 우리 건강을 지키는 일이라고 하였습니다.

148쪽 　똑똑한 **하루 독해** 어휘

1 (2) ○ 　(3) ○ 　　**2** (1) ○

1 '하천'은 강과 시내를 뜻하는 한자가 합쳐진 말로, 강과 시내를 아울러 이르는 말입니다.

2 (1)~(3) 중에서 약사가 약을 짓거나 파는 곳은 (1)의 '약국'입니다.

> **【 왜 틀렸을까? 】**
> (2) **보건소**: 질병의 예방, 진료, 공중 보건을 향상시키기 위하여 각 지역에 둔 공공 의료 기관.
> (3) **은행**: 예금을 받아 그 돈을 자금으로 하여 대출, 어음 거래, 증권의 인수 따위를 업무로 하는 금융 기관.

149쪽 　똑똑한 **하루 독해** 게임

◎ 첫 번째 그림의 두 감기약 중 유통 기한이 아직 지나지 않은 약은 '닥터패치'입니다. 지호가 말한 오늘 날짜를 기준으로 유통 기한이 지났는지 살펴봅니다. 두 번째 그림에서 남은 약을 버릴 수 있는 곳은 왼쪽의 '버리는 약 수거함'입니다.

151쪽 똑똑한 하루 독해 미리 보기

❶ 구두쇠 ❷ 조카

152쪽~**153**쪽 똑똑한 하루 독해

1 (1) 자린고비 2 ②, ③ 3 ⓐ 크고 화가 난 듯한
4 ❶ 크리스마스 ❷ 프랫

1 '구두쇠'는 돈이나 재물 따위를 아끼는 태도가 몹시
지나친 사람을 뜻하는 말입니다. 자린고비는 반찬이
아까워서 보기만 하고 먹지는 말라고 하였으므로 구
두쇠가 맞습니다.

　〔 왜 틀렸을까? 〕
　흥부는 다리를 다친 제비를 치료해 주고 있습니다. 이
러한 모습에서 드러나는 흥부의 성격은 구두쇠와는 거리
가 멉니다. 흥부는 착하고 인정이 많은 성격입니다.

2 스크루지 영감은 불쌍한 사람들을 위해 기부를 하라
는 남자의 말에 화를 내며 말하였고, 남을 위해 돈을
쓰는 것을 아까워하였습니다. 이러한 모습에서 스크
루지 영감이 화를 잘 내고, 돈을 몹시 아끼는 성격이
라는 것을 알 수 있습니다.

3 스크루지 영감은 기부를 하라고 말하는 남자에게 화
를 내며 따지듯 이야기하고 있습니다. 화가 났을 때
목소리가 어떠한지 자신의 경험을 떠올려 써 봅니다.

　채점 기준
　'화를 내며'라는 지문에 어울리는 내용을 답으로 썼으면
정답으로 합니다.

　〔 더 알아보기 〕
　㉠의 대사를 실감 나게 읽기 위해서는 알맞은 목소리의
크기, 빠르기, 말투로 인물의 성격이나 마음이 잘 드러나
게 읽어야 합니다.

4 구두쇠 스크루지 영감은 크리스마스 이브에도 가게
에서 일만 하고 있고, 조카 프랫이 찾아와 자신의 집
에 초대를 해도 바쁘다며 거절하였습니다.

154쪽 똑똑한 하루 독해 어휘

1 (1) ③ (2) ① (3) ②
2 (1) 평일 (2) 주말 (3) 공휴일

1 '삼촌'은 아버지의 형제를 이르거나 부르는 말이고,
'조카'는 형제자매의 자식을 이르는 말입니다. 그리
고 '이모'는 어머니의 여자 형제를 이르거나 부르는
말입니다.

　〔 더 알아보기 〕
　아버지의 형제는 '삼촌', 여자 형제는 '고모'라고 부릅니
다. 그리고 어머니의 남자 형제는 '외삼촌', 여자 형제는
'이모'라고 부릅니다.

2 ❶처럼 달력에서 검은색 글자로 쓰인 토요일, 일요
일, 공휴일이 아닌 보통 날은 '평일'이라고 합니다.
❷처럼 한 주일의 끝 무렵, 주로 토요일부터 일요일
까지를 '주말'이라고 합니다. ❸처럼 달력에서 빨간
색 글자로 쓰인, 국가나 사회에서 정하여 다 함께 쉬
는 날은 '공휴일'이라고 합니다.

　〔 더 알아보기 〕
　공휴일에는 일요일도 포함되며, 신정, 설날, 삼일절, 어
린이날, 부처님 오신 날, 현충일, 광복절, 추석, 개천절, 한
글날, 크리스마스 등이 해당합니다.

155쪽 똑똑한 하루 독해 게임

스크루지 영감은 크리스마스 케이크값 (1) (8,000)원,
로봇값 10,000원, (2) (과일 바구니)값 30,000원을 합해 모
두 (3) (48,000)원을 내야 합니다.

◎ 착한 사람이 된 스크루지 영감은 자신의 상점에서
일하는 보브에게 크리스마스 케이크를 사 주고 싶다
고 하였고, 조카 프랫의 아이를 위해 로봇 장난감을,
고아원에 기부할 과일 바구니를 사야겠다고 하였습니
다. 크리스마스 케이크는 8,000원, 로봇 장난감은
10,000원, 과일 바구니는 30,000원이므로, 스크루
지 영감이 고른 선물을 모두 사려면 48,000원이 필
요합니다.

4일

157쪽

❶ 복   ❷ 칭찬

158쪽~159쪽

1 떡   2 ②, ④   3 튼튼한 남자 아기를 보면 등
4 ❶ 두꺼비 ❷ 튼튼

1 '떡'은 크게 벌어진 모양이나 굳세게 버티는 모양을 뜻하는 말입니다. 첫 번째 문장은 어깨가 크게 벌어진 모양, 두 번째 문장은 잔칫상을 크고 번듯하게 차린 모양을 표현한 것입니다. 세 번째 문장은 개가 길가에 매우 굳세게 버티고 서 있는 모양을 표현한 것입니다.

2 두꺼비는 몸에 울퉁불퉁 돌기가 나 있고, 생김새도 예쁘지 않다고 하였습니다.

《 왜 틀렸을까? 》

두꺼비는 개구리처럼 올챙이 시기가 지나면 꼬리가 사라집니다. 몸에는 울퉁불퉁 돌기가 나 있어 개구리처럼 매끄럽거나 깨끗하지 않습니다. 크기도 보통 개구리보다 크고 우락부락하게 생겼습니다.

3 어른들은 튼튼한 남자 아기를 보면 '떡두꺼비 같다'는 말을 자주 한다고 하였습니다.

채점 기준
튼튼한 남자 아기를 보았을 때라는 내용을 넣어 답을 썼으면 정답으로 합니다.

4 튼튼한 남자 아기에게 '떡두꺼비 같다'고 하는 까닭은 튼튼한 아기의 양 볼에 두둑하게 오른 살이 두꺼비와 비슷하게 생겼기 때문입니다. 그리고 예로부터 두꺼비는 남자의 힘을 상징하는 동물이고, 우리 조

상들은 두꺼비를 복을 가져다주는 동물로 여기기도 했기 때문에 '두꺼비 같다'라는 말은 '튼튼하고 복을 많이 받을 아기구나'라는 칭찬인 것입니다.

160쪽

1 두둑하게   2 고르지 않게 여기저기 몹시 나오고 들어간

1 사진 속 두꺼비는 살이 두껍게 쪄 있는 상태입니다. 사진 속 두꺼비에게 어울리는 말은 '매우 두껍게.'라는 뜻의 '두둑하게'입니다.

《 왜 틀렸을까? 》
'날씬하게'는 '몸이 가늘고 키가 좀 커서 맵시가 있게.'라는 뜻입니다. 살이 찐 두꺼비의 모습에 날씬하다는 표현은 어울리지 않습니다.

2 '울퉁불퉁' 대신에 거죽이나 바닥이 고르지 않고 군데군데 두드러져 있는 모양을 뜻하는 '우둘투둘'이 들어가도 뜻이 통하고, 앞뒤 내용에서 몸에 돌기가 나 있는 모습을 울퉁불퉁하다고 하였음을 알 수 있습니다. 따라서 '울퉁불퉁'의 뜻이 물체의 겉면이 고르지 않게 여기저기 몹시 나오고 들어간 모양을 뜻한다는 것을 짐작할 수 있습니다.

161쪽

'감쪽같다'는 꾸미거나 고친 것이 (전혀 알아챌 수 없을 정도로 티가 나지 않는다 , 너무 눈에 띄게 티가 난다)는 뜻이에요.

◉ '감쪽같다'는 '꾸미거나 고친 것이 전혀 알아챌 수 없을 정도로 티가 나지 않는다.'라는 뜻을 가지고 있습니다. 이 낱말의 유래 중 하나는 '감쪽'이 '곶감을 쪼갰을 때의 한 쪽'을 뜻한다는 이야기입니다. 옛날에는 곶감이 귀해 곶감을 주면 누가 뺏어 먹을까 봐 얼른 입 안에 쏙 집어넣어 흔적도 없이 말끔히 먹어 치웠다고 합니다. 그러니까 '감쪽같다'는 말은 곶감의 한 쪽을 먹는 것처럼 너무 빨라 일의 흔적조차 남기지 않는다는 뜻입니다.

163쪽 · 똑똑한 하루 독해 미리 보기

❶ 환기 ❷ 마스크 ❸ 착용

164쪽~**165**쪽 · 똑똑한 하루 독해

1 미세 먼지 2 미세 먼지가 심한 날이 많아지면서 등
3 성호 4 ❶ 마스크 ❷ 환기

1 대기 중에 떠다니거나 흩날려 내려오는 아주 작은 먼지를 '미세 먼지'라고 합니다. 미세 먼지는 여러 가지 몸에 나쁜 물질로 이루어져 있어 사람들의 건강을 해치기도 합니다.

> 더 알아보기
>
> 눈에 보이지 않을 정도로 작은 미세 먼지는 석탄·석유 등의 연료를 태울 때나 공장·자동차 등의 배출 가스에서 많이 발생하며 검댕, 흙먼지 등 다양한 물질로 이루어져 있습니다.

2 최근 미세 먼지가 심한 날이 많아지면서 사람들의 건강에 대한 걱정이 높아졌다고 하였습니다. 미세 먼지가 심한 날 여러 가지 몸에 나쁜 물질로 이루어진 미세 먼지를 들이마시게 되면 건강을 해칠 수 있기 때문입니다.

> 채점 기준
>
> 미세 먼지가 심한 날이 많아졌기 때문이라는 내용을 넣어 답을 썼으면 정답으로 합니다.

3 성호는 지금까지 몰랐던 미세 먼지로부터 건강을 지키기 위해 해야 할 일을 이 글을 읽고 새롭게 알게 되었습니다. 새롭게 안 내용을 말한 것은 성호입니다.

> 왜 틀렸을까?
>
> 연주: 연주는 자신이 얼마 전에 보았던 기사에 대한 이야기를 하였으므로, 이미 알고 있던 내용에 대해 말하였습니다.

4 미세 먼지가 심한 날, 밖에서는 마스크를 착용하라고 하였고, 실내 공기를 적절히 환기하고 청소를 자주 하여서 실내 공기를 깨끗하게 관리하라고 하였습니다.

166쪽 · 똑똑한 하루 독해 어휘

1 그래서 2 공기

1 사람들의 건강에 대한 걱정이 높아졌기 때문에 글쓴이는 건강을 위협하는 미세 먼지로부터 건강을 지키는 방법에 대해 안내하려 합니다. 앞의 내용이 뒤의 내용의 원인이 되었으므로 빈칸에는 앞의 내용이 뒤의 내용의 원인이 될 때 이어 주는 말 '그래서'가 들어가야 합니다.

2 '대기'는 공기를 달리 이르는 말입니다. 숨을 쉬다가도 미세 먼지를 들이마실 수 있다는 말에서 '대기'의 뜻을 짐작할 수 있고, 다른 낱말을 '대기' 대신에 넣어 보았을 때 '공기'가 가장 뜻이 자연스럽다는 것을 통해서도 대신 쓸 수 있는 낱말이 '공기'임을 알 수 있습니다.

167쪽 · 똑똑한 하루 독해 게임

(1) 입 (2) 귀 (3) 공기

○ ❶~❺의 순서에 따라 그림을 보며 마스크를 어떻게 쓰면 되는지 생각해 봅니다. 직접 그림 속 마스크 쓰는 모습을 따라해 보면 빈칸에 어떤 말이 들어가야 하는지 짐작하기가 더 쉽습니다.

168쪽~**169**쪽 · 평가 누구나 100점 테스트

1 침대 옆	2 ①
3 꾸러기	4 (1) ○
5 ②, ③	6 (1) ○
7 (2) ○	8 복을 많이
9 ⑤	10 ⑤

1 파랑새를 찾지 못해 죄송하다는 말에 할머니께서는 파랑새가 침대 옆에 있다고 하였습니다.

2 치르치르와 미치르는 그토록 찾아 헤매던 파랑새를 찾게 되어 매우 기뻤을 것입니다.

3 글의 첫 번째 문장에 '잠꾸러기'가 나오는데, '−꾸러

기'는 '그것이 심하거나 많은 사람'의 뜻을 더하는 말로, '장난꾸러기', '욕심꾸러기', '말썽꾸러기'라고 써야 알맞습니다.

{ 더 알아보기 }
- **장난꾸러기:** 장난이 심한 아이. 또는 그런 사람.
- **욕심꾸러기:** 욕심이 많은 사람을 낮잡아 이르는 말.
- **말썽꾸러기:** '말썽꾼'을 낮잡아 이르는 말.

4 첫 번째 문장에서 먹다 남은 약은 반드시 약국이나 보건소에 설치된 수거함에 버려야 한다고 했습니다.

5 약을 안전하게 버리지 않으면 생각 없이 버린 약들이 생태계를 위협할 수 있고, 사람들이 모여 있는 도시의 하천일수록 약물에 의한 오염이 심하다고 하였습니다.

6 스크루지의 대사를 보면 내가 번 돈을 왜 남에게 주냐며 남자에게 따지고 있으므로, '남자를 따뜻하게 맞이하며'보다는 '화를 내며'가 주어진 상황에 더 어울립니다.

7 이 글은 '떡두꺼비 같다'는 말의 뜻과 이 말이 어떻게 쓰이게 되었는지에 대해서 설명하고 있으므로 두꺼비와 관련이 있습니다.

8 글의 마지막 문장에서 '떡두꺼비 같다'는 말은 '튼튼하고 복을 많이 받을 아기구나'라는 칭찬이라고 하였습니다.

9 '미세 먼지'와 '미세 먼지로부터 건강을 지키는 방법'으로 나누어 알려 주고 있으므로, 미세 먼지에 대해 설명하고 미세 먼지로부터 건강을 지키려면 어떻게 행동해야 하는지 알려 주는 글입니다.

10 '환기'는 '탁한 공기를 맑은 공기로 바꿈.'의 뜻을 지닌 낱말입니다.

{ 왜 틀렸을까? }
'먼지'는 '가늘고 보드라운 티끌.', '미세'는 '분간하기 어려울 정도로 아주 작음.', '외출'은 '집이나 근무지 따위에서 벗어나 잠시 밖으로 나감.', '착용'은 '의복, 모자, 신발, 액세서리 따위를 입거나, 쓰거나, 신거나 차거나 함.'을 뜻합니다.

170쪽~175쪽 **특강** 창의·융합·코딩

1 ❶ 유통 기한 ❷ 공휴일 ❸ 복
2 (1) ○, 약국
3 (1) 2 (2) 5 (3) 6
4 (1) 날짜와 시간 (2) 연필 (3) 모여야
5 (1) ① 생 명 ② 생 가
   (2) 生 死 苦 樂

1 4주에서 배운 낱말을 떠올리며 알맞은 답을 만화에서 찾아 써 봅니다.

2 약국을 찾아가려면 어떤 코딩 명령을 따라가야 할지 따져 봅니다. 왼쪽으로 1칸, 아래쪽으로 1칸, 다시 왼쪽으로 1칸, 아래쪽으로 1칸, 또다시 왼쪽으로 1칸, 아래쪽으로 1칸 이동하면 약국에 도착합니다.

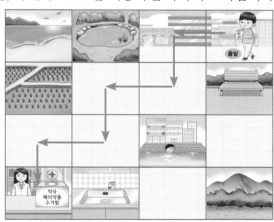

3 기부금으로 20,000원, 5,000원, 600원을 받았으므로 만 원짜리는 2장, 천 원짜리는 5장, 백 원짜리는 6개가 있을 것입니다.

4 체험학습과 관련된 정보를 알려 주는 표로, '일시'는 날짜와 시간을 아울러 이르는 말이며, '필기구'는 글씨 쓰는 데 필요한 여러 종류의 물건을 말하고, '집합'은 사람들이 한곳에 모이는 것을 말합니다.

5 (1) ① 생명(生命): 사람이 살아서 숨 쉬고 활동할 수 있게 하는 힘.
     ② 생가(生家): 어떤 사람이 태어난 집.
   (2) '생사고락(生死苦樂)'은 '삶과 죽음, 괴로움과 즐거움을 통틀어 일컫는 말.'이므로, 빈칸에 生(날 생) 자를 씁니다.

문제 읽을 준비는
저절로 되지 않습니다.

문해력을 키우는 시간

하루 10분

똑똑한 하루 국어 시리즈

문제풀이의 핵심, 문해력을 키우는 승부수

예비초~초6 각 A·B
교재별14권

예비초 A·B, 초1~초6: 1A~4C
총 14권

정답은
이안에
있어 !